HEINRICH STALB

BRENN PUNKTE

HÖREN, LESEN
UND ERÖRTERN

DEUTSCH
FÜR FORTGESCHRITTENE

MAX HUEBER VERLAG

Bildnachweis

Archiv Süddeutsche Zeitung, München (S. 7, 39, 57, 80);
Gesche-M. Cordes, Hamburg (S. 18); Rudi Herzog,
Wiesbaden (S. 53); Studio F. Rosenstiel, Köln (S. 107)
Die *Karikaturen* (S. 14, 16, 28, 36, 37, 50, 79, 103, 106, 117)
wurden uns freundlicherweise von Inter Nationes e. V./
IN-Bild, Bad Godesberg, zur Verfügung gestellt.

ISBN 3–19–00.1307–1
© 1978 Max Hueber Verlag München
3 2 1   1982 81 80 79 78
Die jeweils letzten Ziffern bezeichnen Zahl und Jahr des Druckes.
Alle Drucke dieser Auflage können nebeneinander benutzt werden.
Gesamtherstellung: Druckerei Ludwig Auer, Donauwörth
Printed in Germany

Inhalt

Vorwort

„Brennpunkte" ist für Schüler und Studenten gedacht, die über Mittelstufenkenntnisse verfügen. Es fördert alle Sprachfertigkeiten, insbesondere aber das Hören und Sprechen. Grundlage der Arbeit mit „Brennpunkte" ist das vorliegende Übungsbuch und eine Cassette mit den Hörtexten. Außerdem sind lieferbar ein Lehrerbegleitheft mit methodischen Hinweisen und dem gedruckten Wortlaut der Hörtexte und ein Heft mit Kontrollaufgaben zu jeder Lektion.

Eine erste Version von „Brennpunkte" entstand mit der Hilfe einiger meiner ehemaligen Kollegen der Universität York in England; für ihre Unterstützung möchte ich an dieser Stelle vor allem U. Morton, M. Dalwood und I. Jurdant danken. Ebenso gilt mein Dank den Anregungen und Verbesserungsvorschlägen von Herrn Schmidt und insbesondere Herrn Bieler in Köln.

Der Verfasser

Urlaub und Freizeit

A. Eine Theorie des Tourismus

1 Vom Anfang der Zeiten bis ins 18. Jahrhundert war das Reisen die Sache kleiner
2 Minderheiten, spezifischen und handgreiflichen Zwecken unterworfen. Soldaten
3 und Kuriere, Staatsmänner und Gelehrte, Studenten und Bettler, Pilger und Ver-
4 brecher waren es, die man auf den Straßen antraf, vor allem aber und immer wie-
5 der Kaufleute.
6 Im Lauf des 18. Jahrhunderts begann sich die strenge Zweckhaftigkeit des Reisens
7 zu lockern. Mit der reinen Vergnügungsreise kann es trotzdem noch nicht weit her
8 gewesen sein. Kein Wunder! Nach einem Tag auf den Poststraßen war der Reisende
9 gerädert, wenn er überhaupt sein Ziel erreichte.
10 Vierzig Jahre später hatte sich die Wende vollzogen. Der Tourismus war geboren.
11 Der Engländer John Murray bereiste den Kontinent, um das Material für seine
12 Bibel zu sammeln. Sie erschien 1836 und wurde weltberühmt: das erste „Red Book"
13 verzeichnete die Sehenswürdigkeiten von Holland, Belgien und dem Rheinland
14 und empfahl dem Touristen die malerischsten und romantischsten Routen. Drei
15 Jahre später folgte Karl Baedekers erster Reiseführer durch „Die Rheinlande".
16 Die neue Bewegung hatte ihre heiligen Schriften, sie hatte ihren Siegeszug ange-
17 treten.
18 Ausgeschlossen blieben von der fieberhaften Ausbreitung des Tourismus erstens
19 die Bauern, die bis heute seiner Ideologie und Praxis als einzige soziale Schicht
20 widerstehen, und zweitens die Arbeiterschaft, die für seine Kosten letzten Endes
21 aufkam. Erst nach dem Ersten Weltkrieg wurde der bezahlte Urlaub nach und nach
22 zum Bestandteil der Tarifverträge zwischen Arbeitgebern und Gewerkschaften.
23 Noch im Jahre 1940 stand nur einem Viertel der amerikanischen Arbeiter ein be-
24 zahlter Urlaub zu. 1957 lag diese Zahl bei 90 Prozent.

(Nach: H. M. Enzensberger, *Einzelheiten I*)

I. Wörter und Wendungen

der Kurier, -e	der Bote		Mekka, nach Jerusa-
der Pilger, -	jemand, der aus reli-		lem, an den Ganges.)
	giösen Gründen reist	verzeichnen	nennen, schriftlich
	(Die P. reisten nach		aufführen, notieren

Reisen mit der Postkutsche 1836

jdm. etw. emp- fehlen	jdm. etw. raten	widerstehen	nicht mitmachen, nicht nachgeben
romantisch	stimmungsvoll, male- risch	die Gewerk- schaft, -en	organisierte Vertre- tung der Arbeitneh- mer

II. Falsch oder richtig?

(Es können auch zwei Vorschläge richtig sein.)

1. *nicht weit her sein mit* (Zeile 7/8)
   bedeutet

   a) keine große Bedeutung haben
   b) nicht weit entfernt sein
   c) noch nicht lange her sein

2. *gerädert sein* (Zeile 9) bedeutet

   a) wie ein Rad sein
   b) rund sein
   c) völlig erschöpft sein

3. *eine Wende vollzieht sich* (Zeile 10) bedeutet

   a) eine Änderung findet statt
   b) eine Wende zieht alle mit sich
   c) eine Wandlung tritt ein

4. *für etwas aufkommen* (Zeile 20/21) bedeutet

   a) heraufkommen
   b) bezahlen
   c) einstehen

5. *der Tarifvertrag* (Zeile 22) bedeutet

   a) Vertrag über Postgebühren
   a) Vertrag, der die Höhe des Zolls festlegt
   c) Vertrag, der Lohn und Arbeitszeit regelt

6. *etwas steht jemandem zu* (Zeile 23/24) bedeutet

   a) ein Recht haben auf
   b) in der Nähe von etwas stehen
   c) auf etwas bestehen

III. Finden Sie für folgende Sätze oder Satzteile Entsprechungen im Text:

1. Bis ins 18. Jahrhundert reisten nur ganz bestimmte, kleine soziale Gruppen.
2. Allmählich fingen die Leute an, auch dann zu reisen, wenn es keinen beruflichen, wirtschaftlichen oder militärischen Grund für eine Reise gab.
3. Der Tourismus setzte sich von da an unbezwingbar durch.
4. Die sehr schnelle Entwicklung des Tourismus schloß die Bauern nicht ein.

IV. Bitte erklären Sie.

1. Was sind *handgreifliche Zwecke*? (Denken Sie an die Leute, die früher reisten, und warum sie reisten.)
2. Was ist eine *reine Vergnügungsreise*?
3. Warum wird Murrays Buch als *Bibel* bezeichnet?
4. Was ist eine *Sehenswürdigkeit*? (Beispiele)
5. Was verstehen Sie unter einer *Bewegung*? (Nennen Sie Beispiele aus der Politik, der Kunst, der Literatur.)
6. Was ist eine *soziale Schicht*? (Beispiele)

V. Vervollständigen Sie die Sätze mit Ihren eigenen Worten.

1. Man reiste früher nur . . .
2. Wenn der Reisende einen Tag lang mit der Postkutsche gefahren war . . .

3. ... verzeichnete die Sehenswürdigkeiten von Holland, Belgien und dem Rheinland.
4. Murrays „Red Book" und Baedekers „Die Rheinlande" ...
5. Die Bauern und die Arbeiter ...
6. ... wurde erst nach dem Ersten Weltkrieg Bestandteil der Tarifverträge.

VI. Fragen zum Verständnis

1. Wer ist in früheren Jahrhunderten gereist?
2. Warum war das Reisen im 18. Jahrhundert kein reines Vergnügen?
3. Wann beginnt der Siegeszug des Tourismus?
4. Wodurch unterscheiden sich die Bauern bis heute von allen anderen sozialen Schichten?
5. Wer hat die Kosten für die Ausbreitung des Tourismus letzten Endes bezahlt?
6. Warum konnten die Arbeiter früher kaum verreisen?

VII. Wiedergabeübungen

1. Vervollständigen Sie den Text.

1. Vom Anfang der Zeit... bis in... 18. Jahrhundert war d.... Reis... die Sache klein... Minderheit..., spezifisch... und handgreiflich... Zwecken unterworf... 2. Soldat... und Kurier..., Staatsm... und Gelehr..., Student... und Bettl..., Pilg... und Verbrech... war... es, d... man auf d... Straß... antraf, vor all... aber und immer wieder Kaufleut... 3. Im Lauf des 18. Jahrhunderts begann ... die strenge ... des Reisens zu ... 4. Mit der reinen ... kann es trotzdem noch nicht ... her gewesen sein. 5. Kein Wunder! ... einem Tag auf den Poststraßen war der ... gerädert, wenn er überhaupt sein Ziel ...

2. Geben Sie den Rest des Textes mit Ihren eigenen Worten wieder.
Die folgenden Stichwörter können Sie als Hilfe benutzen:

Vierzig Jahre später / John Murray, Kontinent / Red Book, 1836 / Baedeker / Siegeszug / Bauern, widerstehen / Arbeiter, Kosten / Erster Weltkrieg, bezahlter Urlaub / 1940, 25%; 1957, 90%.

VIII. Fragen zur Weiterführung des Themas

1. Warum lockert sich Ihrer Meinung nach im 18. Jahrhundert die Zweckhaftigkeit des Reisens?
2. Was würden Sie heute als die „heiligen Schriften" der Touristen bezeichnen?
3. Warum verreisen Bauern kaum?

4. Ist es Ihrer Meinung nach richtig, wenn man sagt, daß die Arbeiter die Ausbreitung des Tourismus bezahlten (ermöglichten)?
5. Warum wurde Ihrer Meinung nach der Urlaub erst so spät Teil der Tarifverträge?

Schön wär's!

Kontaktschwierigkeiten? Gruppenreisen — und Sie sind nie mehr allein. Unsere Preise sind Nettopreise. Extrakosten sind für uns ein Fremdwort. Unser Reiseleiter — Ihr Freund und Helfer. Begegnung mit anderen Kulturen — der Bildungsurlaub, von dem Sie schon immer geträumt haben. Keine Zeit, kein Geld? Unser Reisebüro macht's trotzdem möglich.

Das wär' ja noch schöner!

Urlaubsversicherung. Wir garantieren Ihnen bei 14 Tagen Urlaub wahlweise 12 Tage Regen, verstopfte Straßen oder den unfreundlichsten Reiseleiter, den Sie je erlebt haben. Quallennahrung jetzt auch in Büchsen. Schütten Sie unsere Quallennahrung einfach ins Meer, und Sie werden Quallen auch aus größter Entfernung anlocken. Lassen Sie sich das herrlich brennende Quallengefühl nicht entgehen! SW-Sonnenschutzspray mit Dreifacheffekt. Unser neuer Sonnenschutz wird auch Sie überzeugen: nie wieder braun, auch beim kleinsten Sonnenbrand mehrere Tage Klinikaufenthalt garantiert, und Sommersprossen entwickeln ihre volle natürliche Strahlkraft.

B. Betr.: Urlaub im „Marbella"

I. Wörter und Wendungen

der Urlaub	Ferien (besonders außerhalb von Schule und Universität)	der Reiseprospekt, -e	Heft mit Informationen über Preise etc. von Reisen
das Reisebüro, -s	Büro, das über Reisen informiert und Reisen verkauft	die Reisebroschüre, -n	
		sich herausstellen	sich zeigen, deutlich werden
sich erkundigen	nach etwas fragen	buchen	fest bestellen (Reisen)

im Detail	in allen Einzelheiten		jdm. gegenüber aufdringlich werden: Belästigen Sie mich nicht! Er belästigt die Passanten auf der Straße.)
die Extrakosten	zusätzliche kleinere Ausgaben		
die Flughafengebühr, -en	Geldbetrag, der an die Flughäfen zu bezahlen ist	der Gleichgesinnte, -n	jemand, der genauso denkt und fühlt wie man selbst
der Saisonzuschlag, ⸚e	Mehrpreis für Reisen während bestimmter Monate	die Begegnung, -en	das (Zusammen-)Treffen
das Bedienungsgeld, -er	Trinkgeld für Zimmermädchen etc.	hetzen	sehr schnell gehen; jagen
die Belästigung, -en	Störung, Aufdringlichkeit (jdn. belästigen = jdn. stören,	dringend abraten	eindringlich davor warnen, etwas zu tun

II. Beantworten Sie folgende Fragen:

1. Worum geht es in dem Brief?
2. Warum wollten sich Schäfers einen „Traum-Urlaub" leisten?
3. Warum kam der „Traum-Urlaub" nicht zustande?
4. An welche schlechten Erfahrungen der Schäfers erinnern Sie sich?
5. Die Familie Schäfer ist sehr enttäuscht worden. Was will Herr Schäfer deshalb machen?

III. Textklärung

1. Was heißt, *sich einen Urlaub leisten können?*
2. Was bedeutet, der Urlaub war teurer, als wir *annehmen* mußten?
3. Nennen Sie ein anderes Wort für *die Anmerkung.*
4. Geben Sie ein Beispiel für die *Erfahrungen* der Familie Schäfer.
5. Geben Sie eine Paraphrase für *sich beschränken auf* und *stichwortartige Aufstellung.*
6. Formulieren Sie *Billigpreise durch Gruppenreise* und *Ständige Belästigung durch andere Touristen* in vollständige Sätze um.
7. Wie sieht ein *schlecht ausgestattetes* Zimmer aus?
8. Was ist ein *Einheimischer?*
9. Was gehört zur *Folklore* Ihrer Heimat?

10. Was macht man bei einer *Besichtigung*?
11. Was kann man in einem *landeskundlichen Museum* besichtigen?

IV. Was schreibt Herr Schäfer wirklich? Verbessern Sie folgende Sätze:

1. An das „Beschwerdebüro" für alle Bürger, 6 Frankfurt/Main.
2. Betr.: Schlechter Verdienst von Zimmermädchen.
3. Als ich mich näher erkundigte, waren die drei Wochen „Bildungsurlaub" billiger, als wir nach dem Prospekt annehmen mußten.
4. Ich würde Ihnen unsere Erfahrungen gern im Detail mitteilen, doch dazu reicht mein Papier nicht.
5. Deshalb verzichte ich auf eine stichwortartige Aufstellung.

V. Bitte vervollständigen Sie sinngemäß.

Reiseprospekt	*Wirklichkeit*
1. Wo auch im Winter die Sonne lacht	Temperaturen kaum höher als ...; jeden dritten Tag ...
2. Billigpreise durch Gruppenreise	... Zimmer; Mahlzeiten ...; Großbaustelle ...; Extrakosten: ...
3. Bekanntschaft mit Gleichgesinnten	... durch andere Touristen
4. Kontakte mit Einheimischen	Einheimische im Hotel ...; bei „echter" Folklore, bei Besichtigungen nur Begegnung mit Leuten, die ...; Gespräche wegen ...; Reiseleiter hatte nie Zeit zu ...
5. Bildungsurlaub und Erholung	Von einer Sehenswürdigkeit zur anderen ...; ... für das berühmte landeskundliche Museum; Reiseleiter ... über Kultur informiert; keine Zeit für ...

Ich werde meinen Freunden und Bekannten..., wenn sie bei Ihnen eine Reise buchen wollen.

VI. Fragen zum Verständnis

1. Woran lag es, daß die Schäfers glauben mußten, sie könnten den Traumurlaub bezahlen?
2. Warum entschieden sich Schäfers für das „Marbella"?
3. Warum beschränkt sich Herr Schäfer auf eine stichwortartige Aufstellung?

4. Was will Herr Schäfer beweisen, wenn er feststellt, daß das Zimmer schlecht ausgestattet, das Essen kaum genießbar und neben dem Hotel eine Baustelle war
und er Extrakosten zu bezahlen hatte?
5. Wie kam es, daß Schäfers keinen Kontakt mit Einheimischen fanden?
6. Die Schäfers haben z. B. viele Sehenswürdigkeiten gesehen und ein berühmtes
Museum besichtigt. Warum glauben sie, daß es trotzdem kein richtiger Bildungsurlaub war?
7. Warum wird das Reisebüro „Freizeit" an den Freunden und Bekannten der
Schäfers wahrscheinlich kein Geld verdienen?

VII. Sprechen Sie nach, was Sie hören. ꝏ

VIII. Wiedergabeübungen

1. Ergänzen Sie die fehlenden Wörter.

Sehr . . . Herren!

Meine . . . und ich wollten . . . zu unserem 10. . . . Ihren „Traum-Urlaub auf Teneriffa" . . . Als ich . . . jedoch in Ihrem Reisebüro näher . . ., waren die . . . Tage
„Traum-Urlaub" DM 230,– teurer, als wir nach dem . . . annehmen mußten. Es
. . . sich heraus, daß der niedrige . . . in einer . . . am Ende der Reisebroschüre auf
die . . . vom 15. bis 30. Mai . . . worden war. So . . . wir zwei Wochen im billigeren
„Marbella". Ich würde Ihnen unsere . . . gern im Detail . . ., doch würde . . . Stunden
dauern. Deshalb . . . ich . . . auf die wichtigsten Punkte.

*2. Setzen Sie den Brief von Herrn Schäfer fort, indem Sie aus seiner stichwortarti-
gen Aufstellung einen vollständigen fortlaufenden Text machen.*

IX. Ergänzen Sie die Sätze mit folgenden Wörtern:

sich ärgern über, sich beschweren über, sich Sorgen machen, sich fragen, sich informieren über, sich leisten, sich erkundigen nach, sich beschränken auf, sich fühlen,
sich herausstellen, sich beklagen über

(In den ersten drei Sätzen sind jeweils drei Wörter richtig.)

1. Wenn wir am Urlaubsort in einem schlecht ausgestatteten Zimmer wohnen
müssen, . . .
2. Wir . . . über Extrakosten wie z. B. Saisonzuschläge, Bedienungsgeld und Flug-
hafengebühren.
3. Wir . . . über Reiseprospekte, die unsachlich und ungenau sind.
4. Aber wir vergessen häufig, . . . über Land und Leute zu . . .

13

„. . . Willi, du sollst arbeiten und nicht vom Büro träumen!"

5. Wenn wir . . . z. B. nach den Arbeitsbedingungen der Ober und Zimmermädchen . . . würden, würde . . ., daß für manche von ihnen das Recht auf Urlaub nicht selbstverständlich ist.
6. Wir müßten sie einmal fragen, wie sie . . . als „Arbeitstiere" unter lauter Touristen . . .
7. Vielleicht würden sie uns erzählen, daß sie . . . keinen Urlaub . . . können.
8. Vielleicht würden sie auch sagen, daß ihre Arbeit . . . auf die Saison . . . und daß sie außerhalb der Saison arbeitslos sind.
9. Sie . . . Sorgen, was passiert, wenn die Touristen z. B. wegen politischer Unruhen wegbleiben.
10. Welcher Tourist hat . . . schon einmal . . ., was er tun kann, um in dieser Situation zu helfen?

X. Jedes Ding hat zwei Seiten

Wählen Sie sich einen Partner. Sie gehen von den Argumenten auf der linken Seite aus, Ihr Partner von denen auf der rechten. Bevor Sie anfangen, lesen Sie bitte erst die Wendungen in der Mitte.

Thema: „Urlaub oder nicht?"

Vorfreude beim Planen, Kofferpacken etc.	Zunächst einmal scheint mir wichtig . . .	Durcheinander, Aufregung
Fremde Länder, Sehenswürdigkeiten	Aber davon kann doch gar keine Rede sein. Im Gegenteil.	Urlaub zu kurz; Fernsehen, Bücher besser
Neue Bekannte, neue Freunde	Das scheint mir doch sehr übertrieben. Außerdem gibt es natürlich noch andere Aspekte.	Freunde finden in 14 Tagen unmöglich; alte Freundschaften pflegen

Erholung	In dem ersten Punkt haben Sie vielleicht recht, aber das andere möchte ich doch sehr bezweifeln.	Strapazen der Reise; Erholung zu Hause besser: lange schlafen, essen im Restaurant, Schwimmbad, Hobby
	Aber abgesehen davon . . .	
Am Strand liegen, braun werden	Das eine schließt das andere ja nicht aus.	Braun auch zu Hause, zuviel Sonne ungesund; Reiseprospekte lügen: kein Sandstrand, Lärm etc.
	Im übrigen . . .	
Reisebroschüren heute meistens ehrlich; Beschwerde möglich, Geld zurück	Meinen Sie tatsächlich, daß . . .	Urlaub ist verdorben; Prozeß verlieren; Urlaub überhaupt zu teuer, Geldverschwendung
	Kurz gesagt . . .; überhaupt . . .	

XI. Rollenspiel

Jemand hat eine Urlaubsreise gemacht, und es hat ihm überhaupt nicht gefallen. Er geht in das Reisebüro, wo er seine Reise gebucht hat, und beschwert sich bei dem Geschäftsführer. Zunächst ist das Gespräch noch ruhig, aber dann kommen andere Kunden und beschweren sich ebenfalls, so daß ein richtiger Streit entsteht. Spielen Sie diese Situation.

XII. Interview

Wählen Sie sich einen Partner, und interviewen Sie ihn. Wenn alle Fragen beantwortet sind, tauschen Sie die Rollen.

1. Sind Sie schon einmal in den Ferien verreist? (Wann, wie lange, mit wem, wohin?)
2. Was haben Sie am Urlaubsort gemacht? (Beschreiben Sie einen typischen Urlaubstag etc.)
3. Würden Sie den gleichen Urlaub noch einmal machen? Warum, warum nicht?
4. Würden Sie lieber mehrmals im Jahr einen kurzen Urlaub oder einmal einen längeren Urlaub machen? Warum?

5. Welches sind die Vor- und Nachteile eines Urlaubs
   a) in Paris, London, Berlin etc.?
   b) auf Mallorca, Kreta, Teneriffa etc.?
   c) in Schottland, Norwegen etc.?
6. Wie sollte Ihrer Meinung nach ein Erholungsurlaub und wie ein Bildungsurlaub aussehen (nicht aussehen)?
7. Welches sind die Vor- und Nachteile von Gruppenreisen?
8. Welche Tips würden Sie einem Anhalter geben?
9. Wie stellen Sie sich einen guten Reisekatalog vor?
10. Wie beurteilen Sie die Situation der Leute, deren Heimat ein Erholungsgebiet ist, die dort also leben und arbeiten müssen?

XIII. Diskussion

Ernennen Sie einen Protokollanten, der in Stichworten den Verlauf Ihrer Diskussion festhält und am Schluß die Diskussion mündlich zusammenfaßt.

Diskutieren Sie folgende Behauptung: „Nur reiche Leute, Leute mit einer guten Schulbildung und Lebenskünstler, sind in der Lage, richtig Urlaub zu machen."

Anregungen:

1. Was heißt eigentlich „richtig" Urlaub machen?
2. Können arme Leute, Leute mit geringer Schulbildung etc., richtig Urlaub machen?

XIV. Persönliche Stellungnahme

Wie sieht Ihr Traumurlaub aus?

▷

„. . . dort, der mit dem Hut, das ist mein Mann!"

Umweltschutz

A. Alarm im Ruhrgebiet: Fernsehfilm über eine Smog-Katastrophe

Duisburg – INP. Smog-Alarm im Ruhrgebiet: Die Dunstglocke über der Industrielandschaft an Rhein und Ruhr weicht nicht. In den Cities der Großstädte ringen die Menschen nach Luft. Die Krankenhäuser sind überfüllt. Sonderzüge evakuieren Mütter und Kinder ins nahe gelegene Bergische Land. Fernsehen und Rundfunk bringen Sondermeldungen rund um die Uhr. Die Schadstoffe in der Luft haben die kritische Grenze überschritten. Die nordrhein-westfälische Landesregierung in Düsseldorf löst Smog-Alarm aus. Autofahren während der rush-hour wird verboten. Unternehmen müssen ihre Produktion drosseln. Nach vier Tagen ist der Spuk vorüber. Gutes Wetter und frische Winde vertreiben die Wolken giftiger Luft.

Wolfgang Menge, Autor des Fernsehfilms „Smog", hat lange recherchiert. Er hat in Nordrhein-Westfalen bei Behörden und Industriebetrieben gefragt, was passiert, wenn das Land Smog-Alarm gibt, wenn sich bei „austauscharmer Wetterlage" (Kaltluft am Boden und Warmluft in den höheren Schichten der Atmosphäre) die Gifte von Feuern, aus Privatschornsteinen und Industrie-Essen, den Auspuffrohren der Autos zum undurchdringlichen Smog zusammenballen.

Spielort der fiktiven Handlung ist das Ruhrgebiet, größtes Industrie-Ballungsgebiet in der Bundesrepublik Deutschland, da dort tatsächlich ein Alarmplan auf dem Papier existiert. Wolfgang Menge fragt: Wie funktioniert er? Wie reagiert die Industrie? Wie der Autofahrer? Wie steht es mit der Zusammenarbeit der Ämter? Weiß man, wo die Kranken unterzubringen sind? Befolgt man die Evakuierungsvorschläge? Wolfgang Menge fragt nicht nach der Schuld, wohl aber nach dem Gemeinsinn des einzelnen. Dazu gibt er Beispiele, die nachdenklich stimmen.

Autofahrer nehmen lieber stockende Umleitungsschlangen und stundenlange Totalsperren in Kauf, als daß sie in die leeren Busse steigen. Straßenverkäufer preisen nutzlose Smogmasken an, Fußballkarten finden reißenden Absatz, obwohl die Spieler in den Kabinen schon mit Sauerstoff versorgt werden müssen. Menges Reportage karikiert die Arroganz mancher Großindustrieller und Stadtoberhäupter, Behördenwirrwarr und Kompetenzstreit. Er kritisiert Fernsehen und Rundfunk, ihre Neugier und Wichtigtuerei, ihre aufgeputschten Sonderberichte von der „Alarmfront".

Als der Film dann an einem Sonntagabend im Fernsehen lief und zeigte, wie ein

Fabriken und/oder Idylle?

32 Smog-Alarm in Nordrhein-Westfalen aussehen würde, protestierten die Manager an
33 Rhein und Ruhr, Ministerialbürokratie und Bürgermeister einstimmig: Der Film
34 spiegele Industriefeindlichkeit wider, das Image der Städte im Ruhrgebiet sei in
35 Gefahr, die Wirkung der rauchenden Fabrikschornsteine werde durch Bäume und
36 Rasenflächen ausgeglichen.
37 Wolfgang Menge zu dieser Kritik: „Wir haben im Ruhrgebiet gedreht. Daß viele
38 Bewohner des Reviers davon nicht begeistert sind, kann ich verstehen. Aber wo
39 hätten wir sonst drehen sollen? Schwarzwald? Es gibt sicher Gebiete in der Bundes-
40 republik, die schlimmer verpestet sind. Nur hat man in Nordrhein-Westfalen die
41 Probleme viel früher erkannt als in anderen ebenso oder stärker gefährdeten Ge-
42 bieten und ist obendrein eher und energischer drangegangen, etwas dagegen zu tun.

(Nach: Inter Nationes, *Sonderdienst*, 6/73)

I. Wörter und Wendungen

nach Luft rin-gen	zu wenig Luft bekom-men und darum müh-sam atmen	evakuieren	Bewohner aus einem Gebiet wegbringen

drosseln	senken, niedriger, geringer machen, kleiner stellen (den Motor, die Heizung, das Tempo, die Einfuhr drosseln)	simulieren	so tun, als ob etwas der Fall sei
		die Ministerialbürokratie	Behörden, die von Ministern geführt werden
		drehen	hier: einen Film machen
recherchieren	nachforschen, untersuchen	das Revier	hier: das Industriegebiet an Rhein und Ruhr
fiktiv	erfunden, nur angenommen	begeistert sein	sich sehr freuen
karikieren	verspotten; verzerrt darstellen	verpestet	verschmutzt und voller Schadstoffe
die Arroganz	Anmaßung, Überheblichkeit	eher	früher
		energisch	kraftvoll, tatkräftig (ein e. Mann; sich e. gegen etw./jdn. wehren)
aufgeputscht	stark übertrieben; sensationslüstern		

II. Falsch oder richtig?

1. *Spuk* (Zeile 8) bedeutet
   a) Geist
   b) das Spucken
   c) rasch auftretende, gefährliche Erscheinung

2. *Industrie-Essen* (Zeile 14) bedeutet
   a) Mahlzeiten in Industriegebieten
   b) Schornsteine von Fabriken
   c) Industrie-Produkte

3. *etwas in Kauf nehmen* (Zeile 23/24) bedeutet
   a) etwas kaufen
   b) etwas in Zahlung geben
   c) etwas als nicht zu ändern hinnehmen

4. *stockend* (Zeile 23) bedeutet
   a) groß und fest wie ein Stock
   b) mit Unterbrechungen vorankommend
   c) nicht vorankommend

5. *anpreisen* (Zeile 24/25) bedeutet
    a) als Preis geben
    b) den Preis nennen
    c) anbieten und empfehlen

6. *obendrein* (Zeile 42) bedeutet
    a) oben
    b) darüber hinaus
    c) oben darauf

III. Finden Sie für folgende Sätze oder Satzteile Entsprechungen im Text:

1. Die dichte Dunstschicht, die wie eine Glocke über der Landschaft liegt, bewegt sich nicht.
2. Die Grenze, ab der die Schadstoffe gefährlich werden, ist überschritten.
3. Die Regierung in Düsseldorf gibt Smog-Alarm.
4. Als das Wetter besser wird, verschwinden die Wolken giftiger Luft.
5. Die Handlung, die man sich ausgedacht hat, spielt im Ruhrgebiet.
6. Folgt man den Evakuierungsvorschlägen?
7. Wolfgang Menge untersucht nicht, wer versagt hat.
8. Er gibt Beispiele, die einen nachdenklich machen.
9. Menge karikiert, wie sich die Behörden darüber streiten, wer zuständig und verantwortlich ist.

IV. Bitte erklären Sie.

1. Wie entsteht Smog?
2. Was bedeutet, die Krankenhäuser sind überfüllt?
3. Was ist eine Sondermeldung?
4. Wie zeigt sich Gemeinsinn? (Beispiel)
5. Was ist eine Umleitungsschlange?
6. Was heißt, etwas findet reißenden Absatz?
7. Was ist ein Stadtoberhaupt?
8. Was ist ein Behördenwirrwarr?

V. Vervollständigen Sie die Sätze mit Ihren eigenen Worten.

1. Die Regierung löst Smog-Alarm aus, weil die Dunstglocke . . .
2. Bevor Wolfgang Menge den Film gedreht hat, hat er . . .
3. Menge geht in seinem Film von dem Alarmplan aus. Und er fragt . . .
4. Das Geschäft mit den Fußballkarten geht ausgezeichnet, obwohl die Fußballer in den Umkleidekabinen . . .

5. Als der Film über eine fiktive Smog-Katastrophe gezeigt wurde, haben Geschäftsleute, Industrielle und die Bürgermeister ...
6. ... energisch drangegangen, etwas gegen die Smog-Gefahr zu tun.

VI. Fragen zum Verständnis

1. Was erfährt man über den Inhalt des Films?
2. Wie hat Wolfgang Menge seinen Film vorbereitet?
3. Welche Ziele verfolgte Menge mit seinem Film?
4. Inwiefern stimmen Menges Beispiele für das Verhalten der Leute, Behörden und Massenmedien nachdenklich?
5. Welche Reaktion hat der Film bei Managern und Behörden ausgelöst?
6. Warum wählte Menge das Ruhrgebiet als Schauplatz seines Films?

VII. Wiedergabeübungen

1. Setzen Sie passende Wörter ein.

1. Smog-Alarm im Ruhrgebiet: Die Dunstglocke über der ... an Rhein und Ruhr ... nicht. 2. In den Cities der Großstädte ... die Menschen ... Luft. 3. Die Krankenhäuser ... überfüllt. 4. Sonderzüge evakuieren Mütter und Kinder ... nahe gelegene Bergische Land. 5. Fernsehen und Rundfunk bringen Sondermeldungen rund ... die Uhr. 6. Die ... in der Luft haben die kritische Grenze ... 7. Die nordrhein-westfälische Landesregierung in Düsseldorf löst Smog-Alarm ... 8. Autofahren während ... rush-hour wird ..., Unternehmen müssen ihre ... drosseln. 9. Nach vier Tagen ist der Spuk ... 10. Gutes Wetter und frische Winde vertreiben die ... giftiger Luft.

2. Stellen Sie sich vor, Sie sind Wolfgang Menge und erzählen einem Freund über die Vorbereitungen zum Film, die Ziele des Films und die Reaktionen auf den Film. Fangen Sie so an:

„Also zuerst habe ich mich mal bei den Behörden usw. erkundigt, was eigentlich passiert, wenn ...“

VIII. Fragen zur Weiterführung des Themas

1. Halten Sie es für richtig, daß Menge in diesem Film nicht die Frage stellt, wer an der Katastrophe und dem falschen Verhalten während der Katastrophe schuld ist?
2. In Menges Film verhalten sich die Autofahrer, Straßenverkäufer, Fußballfans, die Industriellen, Behörden und Massenmedien falsch.

a) Wäre es nicht besser gewesen, einen Film zu drehen, in dem jeder richtig reagiert? Warum, warum nicht?

b) Welche Version halten Sie für realistischer? Warum?

3. Inwiefern ist es richtig, inwiefern falsch, den Film als das Ergebnis gründlicher Recherchen zu bezeichnen?

4. Erscheint die Reaktion der Manager und Bürokraten auf den Film verständlich? Warum, warum nicht?

5. Wie, glauben Sie, haben die anderen Leute auf den Film reagiert, und welche Reaktionen wird sich Menge wohl erhofft haben?

6. Menge erwähnt als andere mögliche Schauplätze des Films

a) den Schwarzwald

b) schlimmer verpestete Gebiete als das Ruhrgebiet.

Welche Gründe könnte man für und gegen diese beiden anderen möglichen Schauplätze anführen?

IX. Bilden Sie Sätze nach dem gleichen Muster.

Beispiel: Herr Müller hat gehört, *im Ruhrgebiet ist eine Smog-Katastrophe.* Er erzählt seinem Freund: *„Im Ruhrgebiet soll eine Smog-Katastrophe sein.“*

1. Herr Müller hat gehört, in den Städten ringen die Menschen nach Luft.
2. Er hat gehört, die Krankenhäuser sind überfüllt.
3. Man sagt, Sonderzüge evakuieren Mütter und Kinder.
4. Es heißt, Fernsehen und Rundfunk bringen Sondermeldungen rund um die Uhr.
5. Er hat gehört, die Schadstoffe haben die kritische Grenze überschritten.
6. Man erzählt sich, die Regierung hat Smog-Alarm ausgelöst.
7. Es heißt, Autofahren ist verboten worden.
8. Herr Müller hat gehört, Straßenverkäufer preisen nutzlose Smogmasken an.

Eduard Mörike
September-Morgen
Im Nebel ruhet noch die Welt,
Noch träumen Wald und Wiesen:
Bald siehst du, wenn der Schleier fällt,
Den blauen Himmel unverstellt,
Herbstkräftig die gedämpfte Welt
In warmem Golde fließen.

B. Gladiolen oder Arbeitsplätze?

I. Wörter und Wendungen

das Aluminium	ein Metall; chem.: Al	überschreiten	über etwas hinausgehen
der Spruch, ⸗e	(jur.) die Entscheidung	für vertretbar halten	was man verantworten kann (z. B. bestimmte Strafen, Zensuren, Maßnahmen, finanzielle Ausgaben)
Sorge tragen	sorgen für, sich kümmern um		
die Hütte, -n	(industr.) Fabrik zur Metallgewinnung (oder zur Herstellung keramischer Produkte)	empfindlich	anfällig, nicht stark und widerstandsfähig (ein e. Kind; gegen Hitze e. sein)
züchten	Pflanzen ziehen, Tiere aufziehen	neutral	objektiv, ohne zu einer Partei zu halten
verursachen	hervorrufen, bewirken	beweisen	nachweisen, zeigen
das Faktum, die Fakten	die Tatsache	die (nächste) Instanz	(jur.) die (folgende, höhere) Stufe eines gerichtlichen Verfahrens (eine Sache in erster, zweiter I. entscheiden; sich an die nächste I. wenden)
das Fluor	chem. Grundstoff; chem.: F		
das Mikrogramm	ein millionstel Gramm		

II. Beantworten Sie folgende Fragen:

1. Wer ist an dem Gespräch beteiligt?
2. Wie hat das Gericht entschieden?
3. Welche Folge kann diese Entscheidung nach Meinung von Herrn Gögler haben?
4. Warum ist die Fluor-Messung wichtig?
5. Wie sieht Herr Gögler die Zukunft?

III. Textklärung

1. Was meint Herr Gögler mit *die Arbeiter auf die Straße setzen*?
2. Was meint Herr Gögler mit *dann muß ich zumachen*?

3. Was meint er mit *jetzt müssen Experten ran*?
4. Was heißt *und dann geht es in die nächste Instanz*?
5. Was will Herr Gögler mit dem Satz sagen *da kann ich nur den Kopf schütteln*?
6. Was meint er mit *dann gute Nacht Deutschland*?

IV. Was sagen die Gesprächsteilnehmer wirklich? Verbessern Sie die folgenden Sätze:

1. Hier ist Reporter Wenzel. Kann ich bitte mal den Besitzer der Gärtnerei, Herrn Ullmann, sprechen?
2. Zunächst mal, wie hat das Oberverwaltungsgericht entschieden?
3. Warten Sie mal, ich lese Ihnen den Spruch vor: „Die Aluminium-Hütte Gögler wird dafür Sorge tragen müssen, daß die Luft einigermaßen rein gehalten wird."
4. Wenn das wirklich so gemeint ist, muß ich mir 1200 neue Arbeiter von der Straße holen.
5. Als ich die Erlaubnis zum Bau meiner Fabrik bekam, hieß es, daß die Fluor-Emissionen sehr hoch sein dürfen.
6. Dieser Wert liegt über dem, was sonst überall erlaubt ist.

V. Bitte vervollständigen Sie sinngemäß.

1. Nun sollen jedoch bei empfindlichen Pflanzen wie Gladiolen ...
2. Jetzt müssen neutrale Experten ran und beweisen, daß ...
3. Wie sehen Sie die ...?
4. Für unsere Fabrik eigentlich ...
5. Ich weiß, daß unsere Messungen ...
6. Aber was den ... angeht, da kann ich nur den Kopf schütteln.
7. Wenn dieser Satz, so wie er steht, für jeden gelten soll, dann müssen alle ...

VI. Fragen zum Verständnis

1. Warum will Herr Wenzel Herrn Gögler sprechen?
2. Was hält Herr Gögler von der Entscheidung des Gerichts? (Berücksichtigen Sie bei Ihrer Antwort auch den letzten Abschnitt des Gesprächs.)
3. Vergleichen Sie die für die Fabrik gemessene Fluor-Emission mit der sonst erlaubten Emission und mit der Emission, die die Wissenschaft für vertretbar hält.
4. Ist ein Mikrogramm Fluor immer unschädlich?

5. Was will Herr Gögler nun nach der Entscheidung des Gerichts machen lassen?
6. Warum, glaubt er, wird er den Prozeß am Ende gewinnen?

VII. Sprechen Sie den Gesprächsteilnehmern nach. ◠◡

VIII. Wiedergabeübungen

1. Vervollständigen Sie die Sätze.

1. D... Gericht ha... entsch..., d... mei... Aluminium-Werke, wart... Sie mal, ich les... Ihn... d... Spruch vor: „Die Aluminium-Hütte Gögler wird dafür Sorge trag... müss..., daß d... Luft so rein gehalt... wird, d... kein... Schäd... auftret... könn..." 2. Wenn d... wirklich so gemein... ist, muß ich mein... Hütte zumach... und 1200 Arbeit... auf d... Straß... setz..., damit Ullmann sein... Gladiolen zücht... kann.
Wieso?
3. Na ja, wissen Sie, „keine Schäden...", was heißt denn das? 4. Welche... kann von sich behaupten, ... sie überhaupt keine ... verursacht. 5. Das ...'s doch gar nicht. 6. Aber ich will Ihnen ein paar ... nennen. 7. ... ich die Erlaubnis zum ... meiner Fabrik ..., hieß es, daß die Fluor-Emissionen, also das, was an Fluor aus den ... kommt, im ... ein Mikrogramm nicht ... darf. 8. Dieser Wert ... unter dem, was sonst überall ... ist, und noch weiter ... dem, was die Wissenschaft für ... hält. 9. Aber unsere Messungen ... gezeigt, ... das Fluor aus unseren Schornsteinen nie über das eine ... hinausgegangen ist. 10. Nun sollen jedoch bei empfindlichen ... wie Gladiolen bei ungefähr einem Mikrogramm schon Blatt-Schäden ... 11. Wenn die Gärtnerei Ullmann also Schäden ... kann, muß ich zumachen.

2. Übernehmen Sie die Rollen von Herrn Wenzel, der Telefonistin und von Herrn Gögler, und spielen Sie das Gespräch.

IX. Transkript

Bitte hören Sie sich das Gespräch noch einmal an. Nach jedem Satz oder nach einem Teil des Satzes schreiben Sie auf, was Sie gehört haben.

X. Jedes Ding hat zwei Seiten

Wählen Sie sich einen Partner. Sie gehen von den Argumenten auf der linken Seite aus. Ihr Partner versucht, Ihre Argumente mit den Anregungen auf der rechten Seite zu entkräften. Bevor Sie anfangen, lesen Sie bitte erst die Wendungen in der Mitte.

Klage über Lärm, Schmutz, Gestank	Im Grunde genommen erübrigt sich jede Diskussion dieser Frage, denn ...	Zweifel, daß zu viel Lärm, Schmutz, Gestank
Beweis: 8,7 Tonnen Staub pro Monat pro Quadratkilometer rieseln auf München; Zerstörung von Gebäuden, Denkmälern etc. durch chemische Stoffe; 50 Tage im Jahr kaum Sonne in Duisburg wegen Smog	Ist das nicht etwas stark übertrieben? Nun, die Wissenschaft hat zweifelsfrei nachgewiesen ... Beweisen diese Daten wirklich, daß ...	Zweifel, daß Verschmutzung verantwortlich; außerdem: Verschmutzung überhaupt (genau) meßbar?
Beweis für Meßbarkeit: Baumrinden um so mehr Säuregehalt, je schmutziger die Luft; außerdem: chem. Analysen von Wasser in Seen und Flüssen	Und im übrigen, wie steht es überhaupt mit ... Die Wissenschaft hat diese Frage längst geklärt. Nehmen wir mal an, daß Sie recht haben. Dann bleibt immer noch die Frage ...	Zweifel, daß Verschmutzung bekämpfbar
Viele Möglichkeiten: Elektroautos; weniger Privatautos, mehr Busse etc.; aus Müll und Abfall neue Produkte; Kläranlagen für schmutziges Wasser, Filter für Luftverschmutzung	Auch hier liegen zahlreiche Lösungsmöglichkeiten vor. Vollkommen überzeugt bin ich zwar nicht, aber die letztlich entscheidende Frage ist doch ...	Finanzierung der nötigen wissenschaftlichen Forschung? Finanzierung der anderen Maßnahmen zum Schutz der Umwelt?

---

* *Muffel* = unfreundlicher, verdrießlicher (auch: kleinbürgerlicher, engherziger, spießiger) Mensch. *Krawattenmuffel:* jd., der nur einen oder zwei Schlipse besitzt und dem es ganz egal ist, ob diese Krawatten modern sind oder zu seiner Kleidung passen.

1. Staat, 2. Industrie, 3. Bürger. Prinzip: Wer Umwelt verschmutzt, zahlt auch Gesetze, Strafe. Information der Bevölkerung, um öffentliche Meinung zu gewinnen Verträge zwischen Staaten	Darauf kann ich ganz kurz antworten. Und wer/wie/ . . . Nun z. B. durch . . . Das hört sich ganz gut an, aber . . . In dem Fall müssen eben . . .	Kontrolle, Überwachung? Durchsetzung der Maßnahmen zum Schutz der Umwelt? Wenn mehrere Staaten für Schäden verantwortlich, z. B. Ostsee, Rhein etc.?

XI. Rollenspiel

Spielen Sie eine Fernsehdiskussion. Einer von Ihnen übernimmt die Rolle von Herrn Gögler, ein anderer spielt den Besitzer der Gärtnerei, Herrn Ullmann, und einer ist der Diskussionsleiter.

XII. Interview

Wählen Sie sich einen Partner, und interviewen Sie ihn. Wenn alle Fragen beantwortet sind, tauschen Sie die Rollen.

1. Haben Sie selbst schon einmal Umweltverschmutzung beobachtet? (Beispiele)
2. Unter welchen Arten der Umweltverschmutzung leiden Sie selbst am meisten?
3. Wer ist Ihrer Meinung nach vor allem an der Umweltverschmutzung schuld? Warum?
4. Wie kann man die Bürger über die Gefahren der Umweltverschmutzung informieren, und wie kann man sie für den Umweltschutz gewinnen?
5. Was können Sie selbst tun, um die Umwelt zu schützen?
6. Was kann die Industrie tun, um die Umwelt zu schützen?
7. Was kann der Staat tun, um die Umwelt zu schützen?
8. Welche Schwierigkeiten sehen Sie bei der Lösung der Probleme des Umweltschutzes?
9. Warum ist es notwendig, daß die verschiedenen Staaten in der Frage des Umweltschutzes zusammenarbeiten?

XIII. Diskussion

Ernennen Sie einen Protokollanten, der in Stichworten den Verlauf Ihrer Diskussion festhält und am Schluß die Diskussion mündlich zusammenfaßt.

Diskutieren Sie die folgende Frage: „Die Lösung der Energiekrise, Hilfe für die Länder der dritten Welt, Schutz der Umwelt – welche dieser drei Aufgaben sollte Priorität haben?"

XIV. Persönliche Stellungnahme

Stellen Sie dar, worin die Umweltverschmutzung besteht, wie man die Umwelt schützen kann und welche Probleme der Schutz der Umwelt mit sich bringt.

Massenmedien

A. Die öffentliche Meinung

Artikel 5,1 des Grundgesetzes der Bundesrepublik Deutschland lautet:
Jeder hat das Recht, seine Meinung in Wort, Schrift und Bild frei zu äußern und zu verbreiten und sich aus allgemein zugänglichen Quellen ungehindert zu unterrichten. Die Pressefreiheit und die Freiheit der Berichterstattung durch Rundfunk und Film werden gewährleistet. Eine Zensur findet nicht statt.

Mit dieser Formulierung führt das Grundgesetz eine Entwicklung weiter, die schon im Entwurf der Reichsverfassung des Parlaments in der Frankfurter Paulskirche (1848/49) und in der Weimarer Verfassung von 1919 in Bestimmungen über Pressefreiheit und Zensurverbot klaren Ausdruck gefunden hatte. Die älteren deutschen Verfassungstexte begründeten die Pressefreiheit allerdings mit dem allen Staatsbürgern zustehenden Recht, daß diese ihre Meinung frei äußern könnten, ohne von der Obrigkeit deswegen bestraft zu werden. Die Pressefreiheit erschien somit als ein Spezialfall der allgemeinen Freiheit der Meinungsäußerung. Sie bezog sich in erster Linie auf die in der Presse und für die Presse tätigen Personen.
Das Grundgesetz hingegen geht hauptsächlich davon aus, daß „die Pressefreiheit und die Freiheit der Berichterstattung durch Rundfunk und Film" deshalb zu schützen sind, weil sie die Voraussetzung dafür schaffen, daß der Staatsbürger sich über die öffentlichen Angelegenheiten ausreichend informieren, selbst an der für das demokratische Leben notwendigen Meinungsbildung teilnehmen und somit seiner Verantwortung als letztlich entscheidender Souverän im Staate gerecht werden kann.

(Nach: *Die öffentliche Meinung,* hg. durch das Presse- und Informationsamt der Bundesregierung)

I. Wörter und Wendungen

das Grundgesetz	die Verfassung der Bundesrepublik Deutschland	etw. verbreiten	etw. anderen weitersagen
der Artikel, -	(jur.) der Abschnitt eines Gesetzes	die Berichterstattung	die (regelmäßige) Information (meistens) über Tagesereignisse
etw. äußern	etw. sagen		

etw. gewährleisten	etw. garantieren (Die Sicherheit der Zuschauer ist gewährleistet.)	der Entwurf, ⁼e	erste Fassung, Skizze, vorläufige Form
die Zensur	(staatliche) Kontrolle von Büchern, Filmen etc.	klaren Ausdruck finden	deutlich gesagt (geschrieben) werden
		die Obrigkeit	die Regierung
		der Souverän	der Herrscher

II. Falsch oder richtig?

(Es können auch zwei Vorschläge richtig sein.)

1. *ungehindert* (Zeile 3) bedeutet
   a) ohne gehindert zu werden
   b) hinderlich
   c) schwerfällig

2. *allerdings* (Zeile 10) bedeutet
   a) immerhin
   b) jedoch
   c) vor allen Dingen

3. *hingegen* (Zeile 15) bedeutet
   a) dagegen
   b) im Gegensatz dazu
   c) in jeder Richtung

4. *ausreichend* (Zeile 18) bedeutet
   a) ab und zu
   b) gelegentlich
   c) genügend

5. *letztlich* (Zeile 20) bedeutet
   a) endlos
   b) letzten Endes
   c) im tiefsten Grunde

III. Finden Sie für folgende Sätze oder Satzteile Entsprechungen im Text:

1. Niemand darf daran gehindert werden, sich zu informieren.
2. Die Freiheit der Information durch Radio und Film wird garantiert.
3. Alle Bürger können ihre Meinung sagen, ohne daß die Regierung sie dafür bestrafen darf.
4. Die Freiheit der Presse war damit ein spezieller Fall der Meinungsfreiheit jedes Bürgers.
5. Die Pressefreiheit ist die Grundlage dafür, daß die Bürger bei der Bildung der öffentlichen Meinung beitragen können.
6. Leute, die für die Presse arbeiten.

IV. Bitte erklären Sie.

1. Was sind *allgemein zugängliche Quellen*? (Beispiel)
2. Was heißt, man darf *seine Meinung verbreiten*?
3. Was verstehen Sie unter *eine Zensur findet nicht statt*?
4. Was ist der *Entwurf* einer Verfassung?
5. Wie könnte eine *Bestimmung über Pressefreiheit* lauten? Geben Sie ein Beispiel.
6. Was sind *öffentliche Angelegenheiten*? (Beispiele)

V. Vervollständigen Sie die Sätze mit Ihren eigenen Worten.

1. Jeder hat das Recht, seine Meinung . . .
2. . . . führt das Grundgesetz eine frühere Entwicklung weiter.
3. Die älteren deutschen Verfassungstexte . . . auf etwas andere Art und Weise.
4. Die Pressefreiheit erschien somit als Spezialfall . . .
5. Die Pressefreiheit bezog sich vor allem auf die in der Presse . . .
6. Das Grundgesetz will die Freiheit von Presse, Rundfunk und Film, weil . . .

VI. Fragen zum Verständnis

1. An welcher Stelle und in welchem Buch steht, daß in der BRD jeder das Recht auf Meinungsfreiheit hat?
2. Wo wurde schon früher in Deutschland die Pressefreiheit und das Verbot der Zensur festgelegt?
3. Wie unterscheidet sich die Begründung für die Pressefreiheit im Grundgesetz von den früheren Verfassungstexten?

VII. Wiedergabeübungen

1. Vervollständigen Sie den Text.

1. Jed. . . ha. . . das Recht, sein. . . Meinung in Wort, Schrift und Bild frei . . . äußern und . . . verbreiten und sich aus allgemein zugänglich. . . Quellen ungehindert . . . unterrichten. 2. Die Pressefreiheit und die Freiheit . . . Berichterstattung durch Rundfunk und Film werd. . . gewährleist. . . Ein. . . Zensur find. . . nicht statt. 3. Mit dies. . . Formulierung führ. . . das Grundgesetz ein. . . Entwicklung weiter, die schon . . . Entwurf der Reichsverfassung . . . Parlaments in der Frankfurter Paulskirche und in der Weimarer Verfassung klar. . . Ausdruck gef. . . hatte. 4. Die älter. . . deutsch. . . Verfassungstexte begründet. . . die Pressefreiheit allerdings mit dem all. . . Staatsbürger. . . zustehend. . . Recht, daß diese ihre Meinung frei . . . könnten, ohne von der . . . deswegen bestraft zu werden. 5. Die Pressefreiheit er-

schien somit als ein ... der allgemeinen Freiheit der ... 6. Sie bezog sich in erster Linie ... die in der Presse und für die Presse tätigen ...

7. Das Grundgesetz geht hingegen hauptsächlich davon ..., daß die „Pressefreiheit und die Freiheit der ... durch Rundfunk und Film" deshalb zu ... sind, weil sie die Voraussetzungen dafür ..., daß der Staatsbürger sich über die öffentlichen ... ausreichend informieren, selbst an der für das ... Leben notwendigen Meinungsbildung ... und somit seiner Verantwortung als letztlich entscheidender ... im Staate gerecht werden kann.

2. Geben Sie den Text mit Ihren eigenen Worten wieder unter Verwendung der folgenden Hilfen:

Grundgesetz, Garantie: Meinungsäußerung, Berichterstattung, Zensur
Frühere Gesetze: Begründung anders, Pressefreiheit ein Spezialfall
Begründung im Grundgesetz: Information, Meinungsbildung, Verantwortung

VIII. Fragen zur Weiterführung des Themas

1. Dürfen Ausländer, Kommunisten, Anarchisten nach der deutschen Verfassung ihre Meinung frei sagen?
2. Wenn Sie an die Begründung der Meinungsfreiheit im Grundgesetz denken, warum haben dann Diktaturen keine Meinungsfreiheit?
3. Wie steht es in Ihrem Land mit der Meinungsfreiheit? (Gesetze zur Meinungsfreiheit? Praktische Einschränkungen der Meinungsfreiheit?)

IX. Formen Sie die Sätze nach folgenden Mustern um:

Beispiel: Jeder hat das Recht *zur freien Meinungsäußerung.* Jeder hat das Recht, *seine Meinung frei zu äußern.*

1. Jeder hat das Recht zur Verbreitung seiner Meinung.
2. Jeder hat das Recht zur ungehinderten Information.
3. Jeder hat das Recht zur Teilnahme an der Meinungsbildung.
4. Niemand hat das Recht zur Zensur der Presse.
5. Niemand hat das Recht zur Verfälschung einer Meinungsäußerung.
6. Niemand hat das Recht zur Behinderung der Reporter.

Beispiel: Jeder hat das Recht *zur freien Meinungsäußerung.* Jeder *darf seine Meinung frei äußern.*

B. Mündige Bürger, wacht auf!

I. Wörter und Wendungen

die Minderheit, -en	die Minorität
protestieren	sagen, daß man mit etw. nicht einverstanden ist
zunehmen	größer, stärker werden
verlangen	fordern
der Kredit, -e	eine geliehene Geldsumme
die Rundfunkanstalt, -en	Rundfunksender als Träger einer öffentlichen Aufgabe
steuerlich	die Steuer, d. h. eine Abgabe an den Staat betreffend
die Fernsehgebühr, -en	Geld, das man bezahlt, um fernsehen zu dürfen
unrentabel	finanziell ein Verlust
der mündige Bürger	ein Mensch, der seine Aufgaben als Bürger eines Staates ernst nimmt
sachlich	objektiv, nicht von Gefühlen beeinflußt
kommentieren	erklären und werten
die Unterhaltung	der Zeitvertreib, eine Beschäftigung, die der Entspannung dient
lenken	steuern, leiten
der Verein, -e	z. B. Sportverein, Gesangverein
selbständig	eigenständig, nicht von anderen beeinflußt
manipulieren	durch Tricks und halbe Wahrheiten beeinflussen
das Überangebot	das Zuviel
rasch	schnell

II. Beantworten Sie folgende Fragen:

1. Gegen wen kämpft der Redner?
2. Was behauptet der Redner von seinen Gegnern?
3. Was behauptet der Redner vom mündigen Bürger?
4. Wofür kämpft der Redner?

III. Textklärung

1. Geben Sie eine Paraphrase für *Kredithilfe*.
2. Was drücken die Zuhörer mit *Hört! Hört!* aus?

3. Was will der Redner ausdrücken, wenn er sagt: *Aber der mündige Bürger schläft?*
4. Geben Sie eine Paraphrase für *attraktiv,* die dem Textzusammenhang gerecht wird.
5. Was ist mit *Massenkommunikationsmittel dieser Art* gemeint?

IV. Was sagt der Redner wirklich? Verbessern Sie die folgenden Sätze:

1. Eine große Mehrheit kämpft gegen die Konzentration der Massenmedien.
2. Man verlangt Kredithilfen, steuerliche Vorteile und höhere Gebühren für große Zeitungen und die rentablen Teile des Mediensystems.
3. Jeder weiß, daß große Zeitungen unsachlich, oberflächlich und unkritisch informieren und schlechte Unterhaltung bieten.
4. Große Zeitungen und zentral gelenkte Sender sind für die wirklich guten Techniker, Reporter und Kommentatoren langweilig.
5. Große Zeitungen haben nie Geld für moderne Maschinen.

V. Bitte vervollständigen Sie sinngemäß.

1. Jeder weiß, daß der Einfluß von Familie, Schule, Kirche und Vereinen . . . garantiert.
2. Daher ist es höchst unlogisch, wenn jene radikale Minderheit behauptet, die Konzentration von Presse und Funk sei . . .
3. Wir haben doch bereits heute ein Überangebot an . . .
4. Wir brauchen deshalb . . ., und zwar je rascher desto besser.

VI. Fragen zum Verständnis

1. Welche finanziellen Maßnahmen fordert „jene Minderheit", und warum ist der Redner gegen diese Maßnahmen?
2. Welche Art von Unterhaltung und Information will „jene Minderheit" den Bürgern angeblich nehmen?
3. Wie kommt es nach Meinung des Redners zur Konzentration der besten Techniker, Reporter und Kommentatoren und der modernsten Maschinen?
4. Warum ist, nach Meinung des Redners, die Konzentration von Presse und Funk keine Gefahr für die Meinungsfreiheit?
5. Warum brauchen wir, nach Meinung des Redners, die Konzentration aller Massenmedien?
6. Welche sprachlichen Mittel setzt der Redner ein, um seine Rede wirkungsvoll zu machen? Was will er erreichen?

VII. Sprechen Sie dem Redner nach. ‿◡

VIII. Wiedergabeübung

Geben Sie die Rede mit Hilfe folgender Stichwörter wieder:

Minderheit, Protest, Konzentration; Minderheit, Kredithilfe, steuerliche Vorteile, kleine Zeitung. Gutes Geld, unrentable Teile des Mediensystems. Schläft?
Jeder weiß, große Zeitung, gründlicher, bessere Unterhaltung. Minderheit will . . . nehmen. Schläft.
Nur groß, zentral gelenkt, attraktiv, Techniker, Reporter; Geld, modern, Maschinen. Minderheit lehnt ab: Konzentration, Mitarbeiter, Maschinen. Niemand aufwecken?
Jeder weiß, Familie, Schule, Kirche, freies Gespräch, selbständiges Denken. Unlogisch, Konzentration Gefahr. Gegenteil, Minderheit, öffentliche Meinung manipulieren. Müssen . . . aufwecken!
Heute Überangebot; von vorne bis hinten lesen. Brauchen Konzentration; rascher, besser. Wacht auf!

IX. Transkript

Bitte hören Sie sich die Rede noch einmal an. Nach jedem Satz oder nach einem Teil des Satzes schreiben Sie auf, was Sie gehört haben.

X. Jedes Ding hat zwei Seiten

Wählen Sie sich einen Partner. Sie gehen von den Argumenten auf der linken Seite aus, Ihr Partner von denen auf der rechten. Wenn möglich, erfinden Sie weitere Argumente. Bevor Sie anfangen, lesen Sie bitte erst die Wendungen in der Mitte.

Thema: „Das Für und Wider der Konzentration der Massenmedien"

Geld für die besten Leute, Maschinen	Also meiner Meinung nach . . .	Zukunft der kleinen Zeitungen? Arbeitslosigkeit
Beste Unterhaltung, beste Informationen durch ausreichende Geldmittel	Einverstanden. Darüber läßt sich nicht streiten. Andererseits muß man sich fragen . . . Abgesehen davon . . .	Keine Auswahl, langweilig. Manipulation (Auswahl, Art der Nachrichten, Kommentare). Qualität durch Geld allein?

Nachrichten Inland/ Ausland	Das ist ein anderes Problem. Fest steht jedenfalls ...	Keine lokalen Nachrichten
Rationalisierung, Preissenkung	Wenn ich Sie richtig verstehe ...	Gegenteil: Keine Konkurrenz, Preise steigen
Überangebot ohne Konzentration	Ich bin der Meinung ...	Vielfalt, interessant; Auswahl möglich
	Das mag richtig sein.	
	Dafür aber ...	
	Davon kann gar keine Rede sein. Im Gegenteil ...	

XI. Rollenspiel

Einer von Ihnen übernimmt die Rolle des Redners. Die anderen gehören zu „jener kleinen Minderheit" und berichtigen, wenn der Redner etwas Falsches sagt, und sagen, was die kleine Minderheit wirklich will.

Beispiel: Ich finde es schlecht, daß wir mit unserem guten Geld die kleinen Zeitungen unterstützen sollen.
Da bin ich anderer Meinung. Wir brauchen auch die kleinen Zeitungen, weil ...

„Nein, vor 5 Jahren bekamen wir kein Baby, da hatten wir den Fernsehempfänger neu!"

„...und für die Zuschauer, die sich jetzt schon ein wenig lang gelegt haben, senden wir nun ein Spezialprogramm!"

XII. Interview

Wählen Sie sich einen Partner, und interviewen Sie ihn. Wenn alle Fragen beantwortet sind, tauschen Sie die Rollen.

1. Sehen Sie fern? (Was, wie oft, warum?)
2. Hören Sie Radio? (Was, wie oft, warum?)
3. Lesen Sie die Zeitung? (Welche, was für Artikel, wie oft, warum?)
4. Welche Vor- und Nachteile haben Ihrer Meinung nach Zeitung, Radio, Fernsehen?
   (Radio, Fernsehen: schnell. Fernsehen: Bild. Zeitung: keine festen Programmzeiten; mehrmals lesen, aufheben; persönliche Nachrichten.)
5. Kann der Staat die Konzentration der Presse z. B. verhindern? Wenn ja, wie?
   (Steuerhilfen; Kredite; Verbot von Fusion.)
6. Was würden Sie am Fernsehen und Radio ändern und warum?
   (Kriegsfilme? Werbung? Kulturprogramm? Sex?)
7. Kann das Fernsehen schädliche Einflüsse haben?
   (Phantasie der Kinder? Gesundheit? Familienleben?)
8. Welchen anderen Einflüssen als denen der Massenmedien ist der Mensch ausgesetzt? Glauben Sie, daß diese Einflüsse stärker sind?

XIII. Diskussion

Ernennen Sie einen Protokollanten, der in Stichworten den Verlauf Ihrer Diskussion festhält und am Schluß die Diskussion mündlich zusammenfaßt.

Diskutieren Sie folgende Frage: „Nur noch Gutes über die Regierung? Können arme Länder sich Meinungsfreiheit und Informationsfreiheit leisten?"

Anregungen:

1. Gibt es in westlichen Industrieländern eine absolute Meinungs- und Informationsfreiheit?
2. Gibt es in Ländern wie der Sowjetunion und der DDR Meinungs- und Informationsfreiheit?
3. Aus welchen Gründen können Entwicklungsländer gezwungen sein, die Meinungs- und Informationsfreiheit einzuschränken?
4. Wie beurteilen Sie solche Einschränkungen?

Werbung und Verbraucher

A. Die Verlockungen der modernen Supermärkte

1 Als die 19jährige Birgit L. einen Selbstbedienungsladen im Frankfurter Stadtteil
2 Bockenheim betritt, hat sie ganz bescheidene Wünsche: Sie will zwei Dosen Katzen-
3 futter und eine Tüte Milch kaufen. Auch die Hausfrau Doris K. (48) benötigt an
4 diesem Tag nicht viel: ein Brot, Kräuter und Joghurt für die grüne Soße, ein Päck-
5 chen Reis. Am wenigsten, so scheint es, ist an Ilse S., einer 54jährigen Ehefrau, zu
6 verdienen. Sie beabsichtigt lediglich, ein halbes Hähnchen für 2,15 Mark zu holen.
7 Alle drei sind sicher, daß sie keine Mark mehr ausgeben werden als geplant. Denn:
8 Sonst brauchen sie nichts. Das Ergebnis freilich sieht anders aus. Nach beendetem
9 Einkauf haben alle draufgelegt: 1,49 Mark, 8,42 Mark, 11,73 Mark.
10 Drei Beispiele, die keine Ausnahme sind. Wie ihnen ergeht es in der Bundesrepublik
11 nahezu der Hälfte aller Konsumenten, die ein SB-Geschäft eigentlich mit der festen
12 Absicht betreten, nur das zu kaufen, was sie gerade benötigen. Wie kommt das?

Einkauf im Supermarkt

¹³ Jeder SB-Markt vergrößert seinen Gewinn, indem er bestimmte Waren nicht or-
¹⁴ dentlich aufstapelt, sondern z. B. locker in ein Drahtgestell kippt. Viele Hausfrauen
¹⁵ schließen nämlich aus dieser Unordnung fälschlicherweise, daß solche Waren beson-
¹⁶ ders billig seien. Der gleiche Effekt wird auch erzielt, wenn Lebensmittel in Massen
¹⁷ angeboten werden.
¹⁸ Ein weiterer Trick der SB-Märkte ist es, die Waren so aufzustellen, daß der Kunde
¹⁹ möglichst weit in den Laden gelockt wird. Die Dinge des täglichen Bedarfs z. B.
²⁰ stehen nicht gleich am Anfang, denn sonst könnte ja die Hausfrau lediglich Brot und
²¹ Butter kaufen und dann den Laden wieder verlassen. Dazu kommt, daß Lebens-
²² mittel, an denen nicht viel verdient wird oder die jeder Kunde sowieso kauft, stets
²³ unten gelagert werden. Der Kunde wird sich schon bücken. In der besten Höhe
²⁴ stehen nur die Luxusartikel.
²⁵ Schließlich ist die Atmosphäre aus Musik, Farbe und Gerüchen zu erwähnen, die
²⁶ die Frau für die eintönige Hausarbeit und die Isolation in der Wohnung entschädigt.
²⁷ In dieser Atmosphäre geht es vielen Kundinnen wie der Hausfrau Liselotte M., die
²⁸ „völlig vergißt, daß ich mich beim Geldausgeben befinde".
²⁹ „Der Kunde folgt seinem freien Willen" ist die stereotype Schutzbehauptung aller
³⁰ Verkäufer. Aber jeder SB-Laden zeigt, sie wissen es besser.

(Nach R. Mahl, *Frankfurter Rundschau* vom 11. 8. 1973)

I. Wörter und Wendungen

Kräuter	kleine Pflanzen, wie z. B. Petersilie, Dill, Schnittlauch	kippen	schütten (z. B. Müll in den Mülleimer, Sand auf die Straße, Steine vom Lastwagen kippen)
grüne Soße	eine kalte Soße (Frankfurter Spezialität)		
		der Trick, -s	Kunstgriff, List, Kniff
beabsichtigen	etwas wollen, vorhaben; die Absicht haben	der Kunde, -n	Käufer
		locken	verführen, reizen (z. B. den Hund mit einer Wurst, den Vogel in den Käfig, einen Menschen mit Versprechungen locken)
SB	Abkürzung für „Selbstbedienung"		
aufstapeln	aufschichten		
das Drahtgestell, -e	Regal oder Korb aus Draht		

entschädigen	Ausgleich, Ersatz geben	die Schutzbehauptung, -en	eine (unbewiesene) Versicherung oder Erklärung, die man abgibt, um sich gegen Vorwürfe zu verteidigen
stereotyp	ständig wiederkehrend, immer wieder gleich		

II. Falsch oder richtig?

1. *Supermarkt* bedeutet

 a) neues Lebensmittelgeschäft
 b) großes Lebensmittelgeschäft mit Selbstbedienung
 c) bedeutender Markt

2. *lediglich* (Zeile 6) bedeutet

 a) wie ein Junggeselle
 b) nur
 c) auf jeden Fall

3. *aus etwas schließen* (Zeile 15) bedeutet

 a) nicht berücksichtigen
 b) etwas ausschließen
 c) den Schluß ziehen, folgern

4. *Effekt* (Zeile 16) bedeutet

 a) Wirksamkeit
 b) Wirkung
 c) Effektivität

5. *Geruch* (Zeile 25) bedeutet

 a) was man mit den Ohren wahrnimmt
 b) was man mit der Zunge wahrnimmt
 c) was man mit der Nase wahrnimmt

6. *eintönig* (Zeile 26) bedeutet

 a) ohne Musik
 b) ohne Abwechslung
 c) einfach

III. Finden Sie für folgende Sätze oder Satzteile Entsprechungen im Text:

1. Als sie in den Laden geht, hat sie nur kleine Wünsche.
2. Wenn der Einkauf zu Ende ist, haben alle mehr bezahlt.
3. Genauso geht es 50% aller Verbraucher.
4. Das gleiche wird erreicht, wenn bestimmte Lebensmittel in großen Mengen angeboten werden.
5. Nahrungsmittel, mit denen kein großer Gewinn zu machen ist, werden immer unten hingelegt.

6. Schließlich ist auch die Stimmung zu nennen.
7. Die Atmosphäre entschädigt die Frau für das Alleinsein.

IV. Bitte erklären Sie.

1. Was ist ein *Selbstbedienungsladen*?
2. Was heißt *fälschlicherweise*?
3. Was gehört zu den *Dingen des täglichen Bedarfs*?
4. Zeigen Sie, was *der Kunde bückt sich* bedeutet.
5. Was sind *Luxusartikel*?
6. Was gehört alles zur *Hausarbeit*?
7. Was bedeutet *der Kunde folgt seinem freien Willen*?

V. Vervollständigen Sie die Sätze mit Ihren eigenen Worten.

1. Als Birgit L. den Selbstbedienungsladen betritt, . . .
2. Ilse S. beabsichtigt lediglich, . . .
3. Alle drei Kundinnen sind sicher, daß sie . . .
4. Jeder Supermarkt vergrößert seinen Gewinn, indem er . . .
5. Die Supermärkte stellen die Waren so auf, daß der Verbraucher möglichst . . .
6. . . . werden stets unten gelagert.
7. Durch die angenehme Atmosphäre aus Melodien, Farben und Gerüchen wird die Hausfrau . . .
8. Vielen Hausfrauen geht es wie Liselotte M., die . . .
9. „Der Kunde folgt seinem freien Willen" ist . . .

VI. Fragen zum Verständnis

1. Warum sind die Kundinnen sicher, daß sie nicht mehr ausgeben werden, als sie geplant haben?
2. Was stellt sich bei allen drei Kundinnen am Ende des Einkaufs heraus?
3. Was macht beinahe die Hälfte aller Kunden eines Supermarktes?
4. Warum kaufen Hausfrauen mehr, wenn sie Waren sehen, die nicht ordentlich aufgeschichtet sind?
5. Warum stehen die Sachen, die man zum täglichen Leben braucht, nicht vorne in einem Geschäft?
6. Welche Waren werden nicht unten gelagert? Warum?

VII. Wiedergabeübungen

1. Vervollständigen Sie den Text.

1. Als d... 19jährig... Birgit L. ein... Selbstbedienungsladen i... Frankfurter Stadtteil Bockenheim betr..., ha... sie ganz bescheiden... Wünsch...: Sie w... zwei Dose... Katzenfutter und ein... Tüte Milch kauf... 2. Auch d... Hausfrau Doris K. (48) benötig... a... dies... Tag nicht viel: ein Brot, Kräut... und Joghurt für d... grün... Soße, ein Päckchen Reis. 3. Am wenigst..., so schein... es, ist an Ilse S., ein... 54jährig... Ehefrau, ... verdienen. 4. Sie ... lediglich, ein halbes Hähnchen für 2,15 Mark zu ... 5. Alle drei sind ..., daß sie keine Mark mehr ... werden als geplant. 6. Denn: Sonst ... sie nichts. 7. Das ... freilich sieht anders aus. 8. Nach ... Einkauf haben alle ...: 1,49 Mark, 8,42 Mark, 11,73 Mark. 9. Drei Beispiele, die keine ... sind. 10. Wie ihnen ... es in der Bundesrepublik nahezu der Hälfte aller ..., die ein SB-Geschäft eigentlich mit der festen ... betreten, nur das zu kaufen, was sie gerade ... Wie kommt das?

2. Geben Sie den Rest des Textes mit Ihren eigenen Worten wieder. (Die Wiedergabe sollte die fünf Tricks der SB-Märkte und die Schutzbehauptung der Verkäufer enthalten.)

VIII. Fragen zur Weiterführung des Themas

1. Ist es nicht ein Vorteil für die Hausfrau, wenn sie weit in einen SB-Laden hineinkommt und alle Waren sieht?
2. Wie erklären Sie sich die Tatsache, daß viele Hausfrauen unordentlich aufgebaute Waren und Waren, die in großen Mengen da sind, für billig halten?
3. Gegen welchen Vorwurf wollen sich die Verkäufer wehren, wenn sie sagen: „Der Kunde folgt seinem freien Willen"?
4. Inwiefern zeigen SB-Läden, daß die Schutzbehauptung der Verkäufer nicht stimmt?
5. Glauben Sie persönlich, daß der Kunde im SB-Laden nicht seinem freien Willen folgt?
6. Was könnten die Hausfrauen tun, damit sie nicht mehr kaufen als sie brauchen?

IX. Vervollständigen Sie die folgenden Sätze mit „daß", „damit" oder „um ... zu":

1. ... der Kunde einen Kühlschrank kauft, muß man ihm klarmachen, ... er mit einem Kühlschrank Sicherheit kauft. 2. Die Sicherheit, ... er niemals hungern muß. 3. Der Kunde muß glauben, ... ein neues, stärkeres Auto ihm selbst Kraft und An-

sehen gibt, . . . alle zwei Jahre ein neues Auto zu kaufen. 4. . . . der Kunde teure Seife kauft, muß man ihn überzeugen, . . . die Seife ihn schön macht. 5. Wein hat eine Verbindung zu Fest und Familie. . . . Wein zu kaufen, muß der Kunde glauben, er erwirbt damit familiäres Zusammensein und Glück. 6. Und . . . möglichst viele Zigarren und Zigaretten geraucht werden, muß man natürlich die Männlichkeit des Rauchers betonen. 7. In einem Satz: . . . den Verbrauch zu steigern, verkaufe man Gefühle und Wünsche, aber nicht einfach Waren.

Definition von „Werbung"

Werbung ist der Versuch, die Vernunft des Menschen so lange gefangen zu nehmen, bis man sein Geld hat.

Was Häusermakler sagen, und was sie meinen

kompaktes Gebäude
kleinere Schönheitsreparaturen notwendig
ruhige, exklusive Lage

stilecht erbaut um die Jahrhundertwende

durch malerisches Gelände vom Nachbarn getrennt
auf Wunsch erweiterungsfähige Garage

winziges Haus
Haus ist abbruchreif
Meilen entfernt vom nächsten Geschäft
kein Bad und das Klo auf dem Hof
Müllhalde direkt nebenan

Fahrradschuppen vorhanden

B. Rundfunkdiskussion: Problematik der Werbung

I. Wörter und Wendungen

die Werbung	planmäßiger Versuch, jemanden für etwas (zum Kauf von etwas) zu gewinnen	die Reklame	das Anpreisen von Waren durch Plakate, Zeitung, Film etc.; Werbung
der Verbraucherverband, ⁼e	Organisation, die die Interessen der Verbraucher vertritt	das Lockvogelangebot, -e	besonders günstiges Angebot, das das Interesse der Kunden wecken soll
der Werbemanager, -	Leiter eines Werbebüros	etwas versprechen	zusichern, etwas bestimmt zu tun

etwas halten	etwas Versprochenes tun	irreführen	täuschen
übertrieben sein	zu negativ (oder positiv) dargestellt sein	Art und Eigenschaften des Materials	hier z. B. Wolle, Perlon (= Art); kochfest, farbecht (= Eigenschaften des Stoffes)
die Information, -en	Auskunft, Angaben, Aufklärung	der Schadenersatz	Ausgleich, Entschädigung für einen Verlust
unseriös	nicht ehrlich; irreführend; nicht sachlich	der Gauner, -	Betrüger, Dieb, Spitzbube
der Preisvergleich, -e	Preise prüfend nebeneinanderstellen zur Feststellung des günstigsten Angebots	die Wirtschaft	Gesamtheit von Produktion, Verteilung und Verbrauch von Gütern eines Landes

II. Beantworten Sie folgende Fragen:

1. Wie heißt das Thema der Diskussion?
2. Was sagt Frau Grunert, die Hausfrau, am Anfang über die Werbung?
3. Was sagt Herr Schütz, der Werbemanager?
4. Was sagt Herr Menzel, der Vertreter des Verbraucherbundes?
5. Welche Probleme erwähnt Frau Grunert, als sie das zweite Mal zu Wort kommt?
6. Was sagt Herr Brosowski, der Politiker der Freien Sozialen Partei?
7. Was sagt Herr Schütz beim zweiten Mal?
8. Was sagt der Sprecher zum Schluß?

III. Textklärung

1. Beschreiben Sie, was *sparsam* heißt.
2. Was ist das Gegenteil von *sich ärgern über*?
3. Nennen Sie ein anderes Wort oder eine andere Wendung für *offenbar*.
4. Wie sagt man hochsprachlich für *etwas mitgehen lassen*?
5. Was ist mit dem Satz gemeint . . . *ist das Geschrei groß*?
6. Was heißt *der Preisvergleich hilft nicht weiter*?
7. Beschreiben Sie, was *Qualitätsunterschied* ist, z. B. bei Autos.
8. Nennen Sie ein anderes Wort für *preiswert*.
9. Geben Sie eine andere Wendung für *jemandem beipflichten*.
10. Was macht eine Partei, wenn sie *einen Gesetzentwurf einbringt*?
11. Erklären Sie an Beispielen, was *einheitliche Verpackungsgrößen* sind.

IV. Was sagen die Diskussionsteilnehmer wirklich? Verbessern Sie die folgenden Sätze:

1. *Sprecher:* Frau Grunert, vielleicht berichten Sie uns zunächst einmal von Ihren Erfahrungen mit dem neuen Waschmittel.
2. *Frau Grunert:* Überall wird verführerisch Reklame gemacht. Und wenn eine Hausfrau sich weigert, etwas zu kaufen, ist das Geschrei groß.
3. *Herr Schütz:* Die meiste Urlaubswerbung hält natürlich nicht, was sie verspricht.
4. *Herr Menzel:* Wir vom Verbraucherbund freuen uns sehr, daß alle Hausfrauen unsere Informationsschriften lesen.
5. *Herr Brosowski:* Meine Partei hat einen Gesetzentwurf eingebracht, der unterschiedliche Verpackungsgrößen und Gewichte verlangt.
6. *Sprecher:* Meine Damen und Herren, wir machen jetzt eine kurze Pause, und dann geht die Diskussion weiter.

V. Bitte vervollständigen Sie sinngemäß.

1. *Frau Grunert:* Als sparsame Hausfrau . . ., daß der Reklame heute offenbar keine Grenze gesetzt wird.
2. *Herr Schütz:* Bedenken Sie, welch eine Fülle von Informationen . . .
3. *Herr Menzel:* Immerhin hat Frau Grunert ja gerade bewiesen, . . .
4. *Frau Grunert:* Aber welche Hausfrau hat schon Zeit . . .
5. *Herr Brosowski:* Wir haben dafür gesorgt, daß in Zukunft . . .
6. *Herr Schütz:* Wo wäre denn unsere Wirtschaft, wenn . . .
7. *Sprecher:* Liebe Hörer, ich hoffe . . .

VI. Fragen zum Verständnis

1. Wie begründet Frau Grunert, daß Hausfrauen manchmal „etwas mitgehen lassen"?
2. Was hält Frau Grunert von „Lockvogelangeboten", und wie begründet sie ihre Meinung?
3. Was hat Frau Grunert gegen die Urlaubsreklame?
4. Welche Argumente für die Werbung führt der Werbemanager im Verlauf der Diskussion an?
5. Herr Menzel ist von einigen Argumenten des Managers nicht überzeugt. Warum?
6. Was empfiehlt Herr Menzel dem Verbraucher?
7. Warum, glaubt Frau Grunert, haben es die Hausfrauen schwer, preiswert einzukaufen?

8. Warum verlangt die Partei von Herrn Brosowski einheitliche Verpackungsgrößen und Gewichte für Lebensmittel?
9. Welcher Eindruck könnte, nach Meinung von Herrn Schütz, durch Herrn Brosowskis Aussagen entstehen?
10. Woher weiß man, daß der Rundfunk von Zeit zu Zeit ähnliche Sendungen bringt?

VII. Sprechen Sie den Diskussionsteilnehmern nach. ⟀

VIII. Wiedergabeübung

1. Setzen Sie passende Wörter ein.

Herr Brosowski: Ich kann unserer Hausfrau nur ... Die Werbung ... billigen Preisen ist oft nur ... Deshalb hat meine Partei auch einen Gesetzentwurf ..., der einheitliche ... und Gewichte ... Lebensmittel und bei Kleidung die Angabe von ... und Eigenschaften des ... verlangt. Außerdem haben wir dafür ..., und ... komme ich ... Ihr Urlaubsbeispiel zurück, ... in Zukunft die Reiseagentur Schadenersatz ... muß, ... sie durch irreführende oder ungenaue ... den ... betrogen hat.

Herr Schütz: Erlauben Sie, aber wenn ... Sie hört, meint man fast, wir Leute von der ... seien ... und Betrüger. Ich habe schon ... hingewiesen, ... wir den ... sehr wichtige Informationen ... Und schließlich: Wo wäre denn unsere ..., ... wir nicht Reklame machten? ... kaufte denn noch etwas, wenn wir ihm nicht ..., daß z. B. ... noch besseres und schöneres Auto, Fernsehen usw. ... worden ist?

2. Geben Sie die Stellungnahme der einzelnen Gesprächsteilnehmer zu Problemen der Werbung wieder.

IX. Transkript

Bitte hören Sie sich die Rundfunkdiskussion noch einmal an. Nach jedem Satz oder nach einem Teil des Satzes schreiben Sie auf, was Sie gehört haben.

X. Jedes Ding hat zwei Seiten

Wählen Sie sich einen Partner. Sie gehen von den Argumenten auf der linken Seite aus, Ihr Partner von denen auf der rechten. Bevor Sie anfangen, lesen Sie bitte erst die Wendungen in der Mitte.

Thema: „Man sollte die Werbung verbieten!"

Werbung verführt, unnötiger Kauf, Familien bankrott	Ich möchte eines meiner stärksten Argumente gleich an den Anfang stellen.	Mehrzahl aller Käufe notwendig; Werbung als Hilfe; bankrott übertrieben
Ungenaue, falsche Informationen (Beispiele)	Das sehe ich etwas anders.	Viele wichtige, richtige Informationen: Heirats-, Wohnungs-, Stellenanzeigen
	Und was ... angeht, ... Nun, da bin ich vielleicht etwas weit gegangen, aber in einem müssen Sie mir doch zustimmen ...	
Appell an Gefühle, Emotionen (Beispiele)		Appell an Verstand (Beispiele)
Unnötige Ausgabe für Wirtschaft, Industrie, macht Waren teurer	Das will ich nicht ganz ausschließen, aber man muß auch sehen ...	Ohne Werbung Zusammenbruch der Wirtschaft, Industrie; Zeitungen, Zeitschriften ohne Reklame viel teurer
	Wie steht es denn dann mit ...	
Kommunistische Länder viel weniger Werbung	Auch dazu gibt es Gegenbeispiele.	Kommunistische Länder schwache Wirtschaft; Waren, die Kunde will, nicht vorhanden
	Ihr Versuch ... zu verteidigen in allen Ehren, aber sie müssen doch zugeben ...	
Früher auch keine Werbung	Da muß ich scharf widersprechen.	Auch früher Werbung (Gasthausschilder etc.); nur weniger Werbung, weil Warenangebot nicht so vielfältig
	Ganz überzeugt bin ich da nicht, denken Sie nur ...	
Werbung langweilig, lächerlich, kindisch (Beispiele)	Ganz im Gegenteil.	Werbung interessant, witzig (Beispiele)

48

XI. Interview

*Wählen Sie sich einen Partner, und interviewen Sie ihn. Wenn alle Fragen beant-
wortet sind, tauschen Sie die Rollen.*

1. Hören, lesen und sehen Sie Reklame? Für welche Artikel? Wie oft? Wo?
2. Beschreiben Sie eine Reklame, an die Sie sich erinnern.
3. Was gefällt Ihnen (nicht) an dieser Reklame?
4. Wurden Sie, Ihre Freunde, Familie etc. schon einmal von der Werbung
   beim Kauf einer bestimmten Ware beeinflußt? Beispiele! Warum? (Preis,
   Qualität, Aussehen, Eigenschaften der Ware, die in der Werbung besonders
   betont wurden? Art der Werbung [Musik, Bilder etc.]?)
5. Halten Sie Wort oder Bild bei der Reklame für wichtiger? (Was ist einpräg-
   samer, überzeugender?)
6. Was ist typisch für Sprache, Bilder, Musik der Werbung?
7. Was ärgert Sie (freut Sie), wenn Fernsehen, Radio, Zeitungen, Kino Reklame bringen?
8. Ist Werbung wichtig? Warum, warum nicht?
9. Was sollte eine gute Reklame alles enthalten?
10. Welche Gefahren bringt es mit sich, wenn der Verbraucher ständig der
    Werbung ausgesetzt ist?
11. Was halten Sie von Verbraucherverbänden? (Was machen sie? Sind sie eine
    Hilfe für den Verbraucher? Können sie sich gegen die Industrie, die Wirt-
    schaft, die Werbung durchsetzen?)
12. Was kann der Staat für den Konsumenten tun?

XII. Diskussion

*Ernennen Sie einen Protokollanten, der in Stichworten den Verlauf Ihrer Diskus-
sion festhält und am Schluß die Diskussion mündlich zusammenfaßt.*

*Diskutieren Sie folgende Aussage: „Die Dinge, auf die es im Leben wirklich an-
kommt, kann man nicht kaufen. Aber man muß für/um sie werben."*

Anregungen:

Auf welche Dinge kommt es Ihrer Meinung nach im Leben an? (Liebe? Ehe?
Freiheit? Moral? Gesellschaftliche Veränderungen etc.?) Warum kommt es auf
diese Dinge an? Warum muß man für sie werben? Wie geschieht diese Werbung, und wo geschieht sie?

„Oh, Verzeihung, ich will nur eben mal die Mitgift meiner Tochter nach oben bringen!"

XIII. Persönliche Stellungnahme

Nehmen Sie Stellung zu folgender Aussage: „Ich glaube, daß die Werbung den materiellen Wohlstand fördert (nicht fördert), aber den Menschen verdirbt (nicht verdirbt)."

Anregungen:

Beispiele dafür, daß der materielle Wohlstand des Staates, der Wirtschaft, des Handels, der Industrie, der Massenmedien und des einzelnen Bürgers durch die Werbung gefördert wird.

Aber auch Beispiele für Gruppen der Gesellschaft, die nicht an diesem materiellen Gewinn teilhaben.

Schließlich Beispiele dafür, wie die Familien und der einzelne Mensch von der Werbung verführt und „verdorben" werden.

Zum Schluß: Ist der Mensch, der der Werbung nicht ausgesetzt ist, ein besserer Mensch?

50

♀

F-DA-WI

Sie — Bj. 39/160 cm, schlank, brünett, gebildet, annehmbar i. Inhalt u. Verpackung, wünscht für harm. Zweitehe — IHN — mit Niveau, Bildung, Geist u. Blick für d. Realitäten des Lebens. (Bild-)Zuschriften (zur.) an ZO 2976 DIE ZEIT, 2 Hamburg 1, Pressehaus

Lehrerin (NRW), 29/1,75, schlank, blond, möchte ihr Leben nicht allein verbringen. ZM 2974 DIE ZEIT, 2 Hamburg 1, Pressehaus

Hamburgerin, 32, offen, direkt, 1,62, gesch., mit Kind, sucht Mann mit Verstand und Sensibilität. ZT 3001 DIE ZEIT, 2 HH 1, Pressehaus.

♂

Lehrer (NRW, Mitte 30, 1,80, schl., dkl., kath., sympath. Äußeres, sucht liebenswerte Kollegin ± 30, Nichtraucherin, als Lebenspartnerin. Bildzuschriften (zur.)! ZA 2942 DIE ZEIT, 2 Hamburg 1, Presseh.

Arzt, 29, 1,81, sucht Ehepartnerin. Bildzuschriften unter ZS 3000 an DIE ZEIT, 2 HH 1.

ER sucht SIE zu Freundschaft und Ehe

Er zählt 44 Jahre und mißt 165 cm, ist finanziell und familiär unabhängig, hat manches erlernt und noch mehr erfahren, liebt Sprache und kennt Sprachen, versteht etwas von Politik und von Wirtschaft, erfreut sich an Musik und an Dichtung, Ziel seines Lebens ist, sich selbst zu verwirklichen. Ihr Brief und ihr Foto erreichen ihn unter ZL 2931 über DIE ZEIT, 2 Hamburg 1, Pressehaus

Entwicklungshilfe

A. Unterentwickelt — sich entwickelnd — entwickelt?

1 Mit welchem Maßstab mißt man den Entwicklungsstand eines Landes? Sollen die
2 Standards der Industriestaaten den Maßstab liefern, z. B. für die schöne Dreiteilung:
3 unterentwickelt – sich entwickelnd – entwickelt? Richtet sich die Klassifikation
4 also nach der Zahl der Schornsteine, der Länge des Straßennetzes und nach der
5 Höhe der Exporte? Wo sind dann die Slums von São Paulo und Kalkutta, wo die
6 Elendsviertel von Dakar einzureihen, die doch erst durch diese sogenannte Entwick-
7 lung entstanden sind? Und welchen Aussagewert hat denn schon das vielzitierte
8 Pro-Kopf-Einkommen, das man nach dem bekannten Prinzip errechnet, daß einer
9 zwei Brathähnchen auf seinem Teller hat, sein Nachbar keines, statistisch aber doch
10 jeder eines verzehrt?
11 „Eigentlicher und letzter Zweck der Entwicklung ist es, allen Schichten der Bevölke-
12 rung bessere Lebensmöglichkeiten zu geben", heißt es in einer Studie der Vereinten
13 Nationen. Das Ziel ist also vorgegeben: Alle sollen an der Entwicklung teilhaben.
14 Das klingt einfach. Welche Probleme sich jedoch in der Praxis ergeben, zeigt allein
15 schon die Tatsache, daß es bis heute nicht gelungen ist, auch nur einheitliche Krite-
16 rien für den Begriff Entwicklungsländer festzulegen. Zu unterschiedlich sind die
17 Gegebenheiten in den einzelnen Ländern und Regionen.
18 Nach formalen Gesichtspunkten wurden zwar einige Trennungslinien gezogen: So
19 gelten Länder mit einem Pro-Kopf-Einkommen zwischen 100 und 200 Dollar als
20 Entwicklungsländer im eigentlichen Sinn, zwischen 200 und 500 Dollar als Über-
21 gangsländer. Für die Praxis haben diese Daten und Bezeichnungen jedoch keinerlei
22 Bedeutung.
23 Schon allein die ungeheuren Größenunterschiede machen es unmöglich, allen Län-
24 dern auf die gleiche Art zu helfen. Hier ist Indien mit 540 Millionen Menschen und
25 einer Fläche, auf der die Bundesrepublik zwölfmal unterzubringen wäre. Dort
26 Botsuana mit einer Einwohnerzahl wie die Stadt Essen und einem Territorium
27 größer als Frankreich. In Malta kommen auf einen Quadratkilometer über 1000
28 Einwohner, in Libyen nur einer.
29 Auch die Bodenschätze sind nicht gleich verteilt. So sind im Tschad nennenswerte
30 Vorkommen überhaupt nicht bekannt. Zwei Drittel seiner Devisen verdient das
31 Land durch die Ausfuhr von Baumwolle. In Ruanda, dem ärmsten Land der Welt,
32 kommen 60 Dollar des Volkseinkommens auf einen Einwohner. Andere Länder
33 verdienen durch den Export von Erdöl zum Teil mehr, als sie in ihren eigenen Län-

Rationellere
Methoden sind
notwendig – auch
beim Dreschen
in Kamerun

dern sinnvoll wieder investieren können. Kuweits Pro-Kopf-Einkommen z. B. ist
das höchste der Welt: knapp 5000 Dollar.
Mit den Unterschieden in der Gruppe der Entwicklungsländer ließen sich Kataloge
füllen. Doch daneben gibt es eine Reihe von Problemen, die allen diesen Staaten,
wenn auch in sehr unterschiedlichem Ausmaß, gemeinsam sind und die mit dem
Begriff Entwicklungsländer allgemein verbunden werden: wirtschaftlich-technische
Unterentwicklung, hohes Bevölkerungswachstum, hohe Arbeitslosigkeit und geringer Stand von Bildung und Ausbildung.

(Nach: Hubert Haslauer, *Die Dritte Welt und wir)*

I. Wörter und Wendungen

der Standard, -s	Norm; Richtmaß	die Klassifika-tion, -en	Einordnung; Eintei-lung
sich richten nach	abhängen von (die Abfahrtszeit der Schiffe richtet sich nach dem Wetter; der Lohn richtet sich nach der geleisteten Arbeit)	der Aussage-wert	Bedeutung; Wert, Wichtigkeit einer Aussage, Feststellung

die Studie, -n	kurze Darstellung; oft Vorarbeit zu einem größeren Werk auf dem Gebiet der Wissenschaft oder Kunst	die Devisen (Pl.)	ausländisches Geld
das Kriterium, -ien	Merkmal, Kennzeichen	investieren	Geld nicht für den Konsum, den Verbrauch benutzen, sondern z. B. für den Kauf von Maschinen, den Bau von Fabriken
formal	nur Äußerlichkeiten und nicht tiefergehende Unterschiede erfassend		

II. Finden Sie für folgende Sätze oder Satzteile Entsprechungen im Text:

1. Bilden die Normen der Industrieländer wie so oft den Maßstab?
2. Wo soll man die Elendsviertel der Großstädte einordnen?
3. Die Slums sind doch erst als Folge von Veränderungen entstanden, die man eigentlich nicht ganz richtig als Entwicklung bezeichnet.
4. Das Ziel ist also festgelegt.
5. Es ist bis heute noch nicht einmal gelungen, Kennzeichen und Merkmale, die für alle Entwicklungsländer gelten, festzulegen.
6. Die Zahlenangaben und Benennungen sind jedoch in der Praxis völlig bedeutungslos.
7. Bodenschätze, die so wichtig sind, daß man sie erwähnen muß, sind nicht bekannt.
8. Es gibt eine Reihe von Problemen, die man gewöhnlich mit dem Begriff Entwicklungsland in einen Zusammenhang bringt.

III. Bitte erklären Sie.

1. Erklären Sie, was *Slums* sind, oder nennen Sie ein anderes Wort dafür.
2. Nennen Sie ein anderes Wort für *vielzitiert*.
3. Was ist das *Pro-Kopf-Einkommen* der Bewohner eines Landes?
4. Erklären Sie, was eine *Bevölkerungsschicht* ist oder sagen Sie, in welche *Schichten* man die Bevölkerung häufig einteilt.
5. Nennen Sie einige *Gegebenheiten*, in denen sich Entwicklungsländer voneinander unterscheiden.
6. Nennen Sie ein anderes Wort für *Territorium*.
7. Nennen Sie ein paar *Bodenschätze*.

8. Welche Informationen erhält man durch einen Briefmarken*katalog,* welche durch den *Katalog* eines Möbelgeschäftes?

IV. Vervollständigen Sie die Sätze mit Ihren eigenen Worten.

1. Zweck der Entwicklung ist es, . . .
2. Länder mit einem Pro-Kopf-Einkommen zwischen 100 und 200 Dollar . . ., Länder mit einem Pro-Kopf-Einkommen zwischen 200 und 500 Dollar . . .
3. Hier ist Indien mit einer Fläche . . .
4. In Ruanda, dem ärmsten Land der Welt, . . .
5. Neben den Unterschieden gibt es eine Reihe von Problemen, die . . .

V. Fragen zum Verständnis

1. Wie kann man zu der Dreiteilung in unterentwickelt – sich entwickelnd – entwickelt kommen?
2. Wieso ist es nach dieser Dreiteilung schwierig, die Elendsviertel großer Städte einzuordnen?
3. Wieso sagt das Pro-Kopf-Einkommen eines Landes nur sehr wenig über die wirkliche Lage der Bewohner aus?
4. Was soll an der Tatsache gezeigt werden, daß es bis heute keine einheitlichen Kriterien für den Begriff Entwicklungsland gibt?
5. Was will der Verfasser mit den Angaben über die Größenunterschiede der Länder, die unterschiedlichen Einwohnerzahlen und die ungleiche Verteilung der Bodenschätze zeigen?
6. Welches sind die Probleme, die man in vielen Entwicklungsländern findet?

VI. Wiedergabeübungen

1. Vervollständigen Sie den Text.

1. Mit welch. . . Maßstab mißt . . . d. . . Entwicklungsstand ein. . . Land. . .? 2. Soll. . . d. . . Standards d. . . Industriestaaten d. . . Maßstab . . ., z. B. für d. . . schön. . . Dreiteilung: unterentwickel. . . – sich entwickel. . . – entwickel. . .? 3. Richtet sich die . . . also . . . der Zahl der Schornsteine, d. . . Länge d. . . Straßennetzes und . . . d. . . Höhe d. . . Exporte? 4. Wo sind dann d. . . Slums von São Paulo und Kalkutta, wo die . . . von Dakar einzu. . ., die doch erst . . . diese sogenannte . . . entstanden sind? 5. Und welchen . . . hat denn schon das viel. . . Pro-Kopf-Einkommen, . . . man . . . dem bekannt. . . Prinzip errechnet, . . . ein. . . zwei Brathähnchen auf sein. . . Teller hat, sein Nachbar kein. . ., statistisch aber doch jed. . . ein. . . verzehrt?

2. *Fassen Sie die zentralen Gedanken des Textes mit möglichst wenigen Sätzen zusammen.*

(Sie sollten folgende Gesichtspunkte berücksichtigen: die Maßstäbe zur Feststellung des Entwicklungsstandes eines Landes, den Zweck der Entwicklung, die Schwierigkeiten der Entwicklungspolitik in der Praxis, die „gemeinsamen" Probleme der Entwicklungsländer.)

VII. Fragen zur Weiterführung des Themas

1. In dem Text wird die industrielle Entwicklung eines Landes als Maßstab für seinen Entwicklungsstand problematisiert. Welche anderen Gesichtspunkte könnte man als Maßstab benutzen?
2. Das statistische Prinzip wird am Beispiel „Brathähnchen" als fragwürdig dargestellt. Anstelle des statistischen Verfahrens könnte man versuchen, die Lage jedes einzelnen Bürgers zu erfassen. Wie beurteilen Sie diese Möglichkeit?
3. Das eigentliche Ziel der Entwicklung ist es, allen Schichten der Bevölkerung ein besseres Leben zu ermöglichen. Welche Schichten haben Ihrer Meinung nach bisher den größten Vorteil von der Entwicklung gehabt? Was könnte man tun, um das eigentliche Ziel zu erreichen?
4. Versuchen Sie an den erwähnten Beispielen (Indien, Botsuana, Malta, Libyen, Tschad, Ruanda, Kuweit) zu zeigen, wie fragwürdig es ist, von (vier) gemeinsamen Problemen der Entwicklungsländer zu sprechen.
5. Welche Konsequenzen ergeben sich aus diesen Beispielen für die Entwicklungspolitik?

B. Internationale Ignoranz

1 Noch nie hat es – in absoluten Zahlen gerechnet – so viele arme, hungernde,
2 arbeitslose, des Lesens und Schreibens unkundige Menschen gegeben wie heute:
3 zwei Drittel der Menschen in der Dritten Welt leben unterhalb des Existenzmini-
4 mums, ein Viertel der Weltbevölkerung leidet ständig Hunger, 25 Prozent aller Er-
5 wachsenen auf dieser Erde sind Analphabeten, ein Drittel aller arbeitsfähigen
6 Menschen in der Dritten Welt ist arbeitslos, 63 Prozent der Erdbevölkerung – in
7 den Entwicklungsländern – bringen nur 6,8 Prozent der Weltindustrieproduktion
8 zustande, und nur knapp die Hälfte der Menschheit hat überhaupt Teil am Wirt-
9 schaftswachstum.
10 Wen kann es da noch wundern, daß sich die Fronten zwischen arm und reich immer
11 mehr verhärten? Die Dritte Welt, die sich mit ihren mehreren Milliarden Menschen

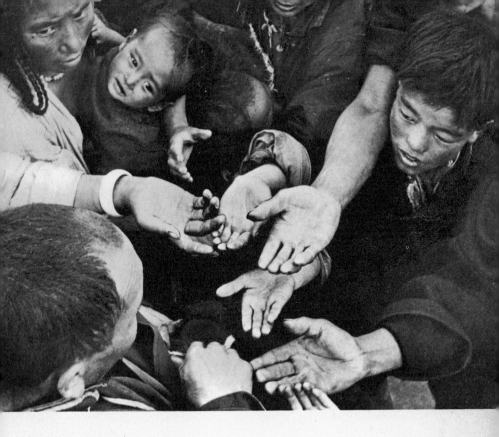

und ihren Rohstoffreserven stärker glaubt, als sie wirklich ist, hat den Industrienationen den Kampf angesagt. Und die Reichen, die noch zwischen Kooperation und Konfrontation wählen können, reagieren ihrerseits empört und nähren alte Vorurteile.

Entwicklungshilfe ist nicht populär. Das haben uns vor kurzem wieder die wohlhabenden Schweizer vor Augen geführt, als sie Mitte Juni in einer Volksabstimmung einen 200-Millionen-Kredit für die 26 ärmsten Länder ablehnten. Doch das sollte kein Anlaß für die Deutschen sein, ihre Nachbarn zu tadeln. Zwar sind, wie aus einer noch nicht veröffentlichten Umfrage hervorgeht, 58 Prozent der Deutschen grundsätzlich für eine Unterstützung der Dritten Welt durch Entwicklungshilfe, während sich nur 25 Prozent dagegen aussprachen. Doch wenn es darum geht, wo der Staat am ehesten sparen könnte, nennen 61 Prozent der Befragten an erster Stelle die Entwicklungshilfe (November 1975).

Ähnlich denken die Holländer. 63 Prozent der Befragten würden zuerst die Entwicklungshilfe kürzen (Mai 1976). Selbst bei den progressiven Schweden sind nur

57

27 20 Prozent für eine Steigerung des Entwicklungsetats (April 1976); und bei der
28 letzten Umfrage, die zu diesem Thema vor einem Jahr in den Vereinigten Staaten
29 stattfand, meinten 63 Prozent der befragten Amerikaner, Entwicklungshilfe schade
30 der eigenen Wirtschaft.
31 Andere davon zu überzeugen, sie müßten etwas von ihrem Überfluß abgeben, ist
32 sicher keine leichte Aufgabe. Aber solange Abstimmungen und Umfragen über Ent-
33 wicklungshilfe derart negativ ausfallen, muß es immer wieder versucht werden.

(Nach: Gabriele Venzky, DIE ZEIT vom 25. 6. 1976)

I. Wörter und Wendungen

die Ignoranz	Dummheit, Unwissenheit	der Kredit, -e	Geld, das man Personen, Ländern oder Unternehmen leiht; Darlehen
in absoluten Zahlen	hier: nur die Zahl der betroffenen Menschen berücksichtigend und nicht: diese Zahl im Verhältnis zur Gesamtbevölkerung der Erde	tadeln	Mißfallen, Mißbilligung äußern, abfällig beurteilen, rügen (Der Lehrer t. den faulen Schüler; tadelnde Worte, Blicke; Ich t. nicht gern.)
das Existenzminimum	Mindestmaß des Einkommens, bei dem der Mensch noch leben kann		
die Kooperation	Zusammenarbeit	die Umfrage, -n	Frage, die an viele Personen gerichtet wird, z. B. aus wissenschaftlichen oder politischen Gründen
die Konfrontation, -en	feindselige Gegenüberstellung, Auseinandersetzung	progressiv	fortschrittlich; aufgeschlossen gegenüber neuen (humanen) Ideen
die Volksabstimmung, -en	Abstimmung, bei der alle wahlberechtigten Bürger ihre Stimme abgeben können	der Überfluß,	hier: mehr Besitz, als man braucht

II. Falsch oder richtig?

1. *ständig* (Zeile 4) bedeutet

    a) standhaft
    b) dauernd, immer
    c) stehend

58

2. *empört* (Zeile 14) bedeutet

   a) nach oben, aufwärts
   b) unsachlich, übertrieben
   c) wütend, entrüstet, aufgebracht

3. *vor kurzem* (Zeile 16) bedeutet

   a) kurzfristig
   b) kürzer als erwartet
   c) neulich, vor kurzer Zeit

4. *Anlaß* (Zeile 19) bedeutet

   a) Anfang, Start
   b) Veranlassung, Grund
   c) Zulassung, Erlaubnis

III. Finden Sie für die folgenden Sätze oder Satzteile Entsprechungen im Text:

1. Noch nie hat es so viele Leute gegeben, die nicht lesen und schreiben können.
2. Zwei Drittel der Menschen haben ein geringeres Einkommen, als sie eigentlich brauchen, um leben zu können.
3. 63 Prozent der Erdbevölkerung erzeugen 6,8 Prozent der Industrieproduktion der Welt.
4. Ist es da erstaunlich, daß die Gegensätze zwischen armen und reichen Ländern immer unüberbrückbarer werden?
5. Die Entwicklungsländer wollen die Industriestaaten von nun an bekämpfen.
6. Die reichen Länder kehren zurück zu, beharren auf und pflegen Meinungen über die Entwicklungsländer, die falsch und voreingenommen sind.
7. Das haben uns die reichen Schweizer gezeigt.
8. Sie sind für eine Erhöhung der Ausgaben, die für die Entwicklungshilfe vorgesehen sind.

IV. Vervollständigen Sie die Sätze mit Ihren eigenen Worten.

1. 25 Prozent aller Erwachsenen auf dieser Erde . . .
2. Ein Drittel der arbeitsfähigen Menschen in den Entwicklungsländern . . .
3. Die Reichen können noch wählen . . .
4. 58 Prozent der befragten Deutschen . . .
5. 63 Prozent der befragten Amerikaner meinen, . . .
6. Man muß immer wieder versuchen, . . .

V. Fragen zum Verständnis

1. Warum werden die Gegensätze und Konflikte zwischen armen und reichen Ländern immer schärfer und härter?

2. Was wird über die Reaktion der Dritten Welt, was über die der Industrieländer gesagt?
3. Woran sieht man, daß die Entwicklungshilfe in der Schweiz, der BRD, in Holland und in den USA nicht populär ist?
4. Warum muß man, nach Gabriele Venzky, immer wieder versuchen, die reichen Länder zu überzeugen, daß sie etwas von ihrem Überfluß abgeben?

VI. Wiedergabeübungen

1. Vervollständigen Sie den Text.

Noch nie hat es – ... absoluten Zahlen gerechnet – so viele arme, hungernde, arbeitslose, d... Lesens und Schreibens ... Menschen gegeben wie heute: ... Drittel der Menschen in der Dritten Welt ... unterhalb d... Existenzminimums, ... Viertel d... Weltbevölkerung ... ständig Hunger, ... Prozent all... Erwachsenen auf dies... Erde sind ..., ... Drittel all... arbeitsfähigen Menschen in der Dritten Welt ist arbeitslos, 63 Prozent der Erdbevölkerung – in d... Entwicklungsländern – ... nur 6,8 Prozent d... Weltindustrieproduktion zustande, und nur knapp d... Hälfte d... Menschheit hat überhaupt Teil ... Wirtschaftswachstum.

2. Gliedern Sie den Text in vier Abschnitte, und bilden Sie für jeden eine Überschrift.

VII. Fragen zur Weiterführung des Themas

1. Stimmen Sie dem Text zu, daß sich die Dritte Welt mit ihren Milliarden Menschen und Rohstoffreserven für stärker hält, als sie wirklich ist? Warum, warum nicht?
2. Warum sind Ihrer Meinung nach die Industrienationen im allgemeinen nicht in ausreichendem Maß zur Kooperation mit den Entwicklungsländern bereit?
3. Welche Möglichkeiten sehen Sie, bei den Bewohnern der Industrieländer für den Gedanken der Entwicklungshilfe zu werben?

VIII. Formen Sie um, und diskutieren Sie.

Formen Sie die folgenden Satzpaare nach den Mustern um, und diskutieren Sie, ob die Aussage des neuen Satzes zutrifft.

Beispiele: Das Straßennetz ist lang. Der Entwicklungsstand des Landes ist hoch.
Je länger das Straßennetz ist, desto höher ist der Entwicklungsstand des Landes.

Ein Land hat viel Industrie. Es gibt viele Elendsviertel.
Je mehr Industrie ein Land hat, desto mehr Elendsviertel gibt es.

1. Das Volkseinkommen ist hoch. Die Menschen sind glücklich.
2. Das Pro-Kopf-Einkommen ist hoch. Sinnvolle Investitionen sind schwierig.
3. Ein Land erhält viel Entwicklungshilfe. Viele Schichten der Bevölkerung nehmen an der Entwicklung teil.
4. Ein Land hat viele Bodenschätze. Es braucht wenig Entwicklungshilfe.
5. Die Entwicklungsländer werden reich. Die Industrienationen werden arm.
6. Die Entwicklungsländer fordern mehr Hilfe. Die Industrienationen reagieren empört.

C. Mit eigener Hilfe in die Zukunft

I. Wörter und Wendungen

der Musterschüler, -	ein sehr guter Schüler, für die anderen ein Vorbild; jd., dem die anderen nachfolgen, den sie nachahmen sollen	dringend	unbedingt, notwendig; wichtig; sofort
der Experte, -n	Fachmann; jd., der sehr viel von einer Sache versteht	etwas in die Tat umsetzen	etwas verwirklichen (Er setzte seinen Plan, ein Buch über Entwicklungshilfe zu schreiben, in die Tat um.)
triumphieren	siegen, erfolgreich sein (Er t. über seine Krankheit. Klugheit t. über Kraft.)	fördern	unterstützen (Die Regierung f. den Bau von Wohnungen. Der reiche Mann f. junge Maler und Musiker.)
der Ochsenkarren, -	Wagen aus Holz, den Ochsen (oder Kühe) ziehen	die Folgerung, -en	Konsequenz, Schluß (-folgerung)
der Pflug, ⁼e	Gerät (häufig von Tieren oder Traktoren gezogen), mit dem der Acker umgegraben wird	die Technologie, -n	(Lehre der) Wege, Verfahren, Mittel, die bei der Produktion, der Herstellung von etwas verwendet werden

II. Lösen Sie folgende Aufgabe:

Geben Sie alles, was Sie behalten haben, wieder (auch alle Einzelheiten, an die Sie sich erinnern).

III. Textklärung

1. Nennen Sie ein anderes Wort für *den Kampf gegen etwas ‚aufnehmen'*.
2. Nennen Sie ein paar *Geräte*.
3. Was macht jemand, z. B. ein Politiker, der über *die Schaffung von Arbeitsplätzen* nachdenkt?
4. Was macht ein *Schmied*?
5. Wie unterscheidet sich eine *Musterwerkstatt* von normalen Werkstätten?
6. Welches *Material* braucht man zur Herstellung eines Pflugs?
7. Nennen Sie ein anderes Wort für *Experiment,* oder sagen Sie, warum man *Experimente* macht.
8. Nennen Sie ein paar *Handwerksbetriebe,* z. B. den, in dem Brot, den, in dem Kleider, und den, in dem Möbel hergestellt werden.
9. Nennen Sie ein anderes Wort für *zentrale* Frage.

IV. Was sagt der Sprecher wirklich? Verbessern Sie die folgenden Sätze:

1. Das Besondere ist, daß die Bauern mit den modernsten Geräten und Maschinen arbeiten.
2. In Arusha gibt es längst keine Ochsenkarren und einfachen Pflüge mehr.
3. Das wirkt auf den ersten Blick wie ein großer Fortschritt.
4. Die Regierung in Bonn findet zwar den Gedanken einer Musterwerkstatt nicht gut, aber immerhin liefert sie das Material für die Geräte aus Deutschland.
5. Leider wird damit in Tansania nicht mehr produziert als vorher, und deshalb können auch nicht mehr Menschen beschäftigt werden.
6. Im Jahre 1970 mußten rund 76 Millionen Menschen in den Entwicklungsländern hungern.
7. 1975 waren es glücklicherweise etwas weniger, und 1890 werden es noch weniger sein.
8. Die zentrale Frage heißt: Wie kann man den Hunger in den jeweiligen Entwicklungsländern am besten bekämpfen?

V. Bitte vervollständigen Sie sinngemäß.

1. Die Bauern von Arusha, im Norden Tansanias, . . .
2. Von weit her kommen die Experten, um . . .
3. Tansania ist zu arm, um . . .
4. Ein Land, dessen Bevölkerung rasch wächst, muß vor allem . . .
5. Es entstand eine Musterwerkstatt, in der . . .
6. Das Experiment mit den Ochsenkarren ist eins von vielen Beispielen für . . .

7. Das Experiment ist eine Folgerung aus ...
8. Natürlich sind Handwerksbetriebe, wie die Schmiede in Arusha, nicht ...

VI. Bitte wiederholen Sie, was der Sprecher sagt. ᘐ

VII. Wiedergabeübungen

1. Setzen Sie passende Wörter ein.

1. Die ... von Arusha, ... Norden Tansanias, sind zu ... der Entwicklungshilfe
... 2. Von ... her kommen die .., um sich die neue ... anzusehen, ... der in
Arusha ... Kampf gegen die ... aufgenommen wurde. 3. Das ... daran ist, ...
die Bauern gerade ... mit den modernsten ... und ... westlicher Landwirtschafts-
technik ... 4. In Arusha ... vielmehr der zweirädrige ... und der einfache ...
5. Das ... auf den ersten Blick ... eine unverständliche ... vom Fortschritt und ...
doch genau das ...

2. Geben Sie den Text mit eigenen Worten wieder.

(Folgende Punkte sollten berücksichtigt werden: a) Die Beschreibung des Experiments einschließlich der Gründe, warum es gerade in Tansania durchgeführt wurde.
b) Die Folgen des Experiments für Tansania. c) Die Gründe für solche neuen Formen der Entwicklungshilfe. d) Die zentrale Frage der gegenwärtigen Entwicklungspolitik.)

VIII. Transkript

*Bitte hören Sie sich den Text noch einmal an. Nach jedem Satz oder nach einem Teil
des Satzes schreiben Sie auf, was Sie gehört haben.*

IX. Fragen zur Weiterführung des Themas

1. Wie beurteilen Sie das Experiment in Arusha?
2. Wie stehen Sie zu dem Vorwurf, an Beispielen wie Arusha könne man sehen,
   daß die Industrieländer den Entwicklungsländern keine modernen Maschinen geben, damit die Entwicklungsländer weiter von ihnen abhängig bleiben?
3. Beschreiben Sie, welche Formen der Entwicklungshilfe Ihr Land am dringend-
   sten braucht oder welche Form der Entwicklungshilfe Ihrer Meinung nach für
   ein ganz bestimmtes Land, z. B. Indien, am wichtigsten ist.

D. Der häßliche Experte

I. Wörter und Wendungen

der Vorwurf, ⁼e — Vorhaltung, Beschuldigung; was man jdm. vorwirft, was man an jdm. tadelt, was man schlecht findet

das Publikum — Zuhörer, Zuschauer

inkompetent (die Inkompetenz) — nicht (zuständig) in der Lage sein, bestimmte Aufgaben zu erfüllen, Probleme zu lösen

arrogant (die Arroganz) — überheblich, anmaßend, eingebildet; sich besser vorkommend als die anderen (ein a. Mensch, in a. Ton mit jdm. sprechen, ein a. Benehmen haben)

ideologisch (die Ideologie) — was die Weltanschauung, die gesamte (politische) Auffassung, das gesamte (politische) Denken angeht

auf etwas zu sprechen kommen — (zufällig, ohne daß das vorher geplant war) über etwas sprechen

der Kollege, -n — jd., der den gleichen Beruf hat (die gleichen Aufgaben erfüllt)

der Publizist, -en — Schriftsteller, der vor allem über Tagesereignisse schreibt; Journalist

formulieren — ausdrücken, sagen

II. Beantworten Sie folgende Fragen:

1. Wer spricht in diesem Interview miteinander, und worüber sprechen sie?
2. Was erfährt man über die Interviewpartner?
3. Was haben Sie von den Vorwürfen behalten?
4. Was haben Sie von dem Interview sonst noch in Erinnerung?

III. Bitte vervollständigen Sie sinngemäß.

1. Zunächst möchte ich mich bei Ihnen, Herr Moltau, dafür bedanken, daß ...
2. Es ist mir in der Tat aufgefallen, daß neben das alte Problem ... das neue Problem ...
3. Es sind vor allem drei Vorwürfe, und zwar sagt man, daß ...
4. Der dritte Vorwurf ist im Grunde genommen weitgehend ...
5. Wenn die Vorwürfe zutreffend sind, dann können die Experten in der Tat ...

IV. Fragen zum Verständnis

1. Wieso ist Frau Schreiber besonders gut geeignet, über das neue Problem der Entwicklungshilfe zu sprechen?
2. Was hat sie in ihrem Bericht u. a. geschrieben?
3. Warum wundert sich Herr Moltau über den Vorwurf der Inkompetenz?
4. Wie wird, nach Frau Schreiber, der Vorwurf der Inkompetenz begründet?
5. Welchen Grund nennt Herr Moltau dafür, daß er sich – obwohl er es eigentlich gern möchte – nicht länger über die Frage der ideologischen Kompetenz unterhält?
6. Wie zeigt sich die „Arroganz" der Experten?
7. Welcher Vorwurf ist, nach dem Interview, der häufigste, welcher der schwerste?

V. Sprechen Sie den Interviewpartnern nach. ᚙᗞ

VI. Wiedergabeübung

Geben Sie das Interview möglichst vollständig mit ihren eigenen Worten wieder.
Die folgenden Punkte können Sie als Orientierung benutzen:

1. Gesprächsteilnehmer, Thema 2. Frau Schreibers Reise und ihr Bericht 3. Frau Schreibers Dank 4. Das alte und das neue Problem 5. Die drei Vorwürfe 6. Herrn Moltaus Reaktion auf den Vorwurf der Inkompetenz 7. Die Begründung für diesen Vorwurf 8. Herrn Moltaus Reaktion auf den Aspekt der ideologischen Inkompetenz 9. Die Beschreibung des Vorwurfs der Arroganz 10. Herrn Moltaus Hinweis auf die Zeit und seine Bitte 11. Die Begründung für den dritten Vorwurf 12. Die Schlußworte Herrn Moltaus

VII. Transkript

Bitte hören Sie sich das Interview noch einmal an. Nach jedem Satz oder nach einem Teil des Satzes schreiben Sie auf, was Sie gehört haben.

VIII. Fragen zur Weiterführung des Themas

1. Halten Sie das finanzielle Problem der Entwicklungshilfe für wichtiger oder das Problem des „häßlichen" Experten? Begründen Sie Ihre Antwort.
2. Nehmen Sie Stellung zu der (dreifachen) Begründung für den Vorwurf der Inkompetenz. (Sollten alle Experten „alte" Experten sein? Wie brauchbar sind Wissen und Erfahrungen, die in den Industriestaaten gewonnen wurden? Die Forderung der ideologischen Kompetenz.)

3. Ist das Problem des „häßlichen" Experten nur ein Problem der Experten und der Industrienationen? (Was könnten z. B. die Entwicklungsländer tun, um dies Problem zu lösen?)

IX. Jedes Ding hat zwei Seiten

Wählen Sie sich einen Partner. Sie gehen von den Argumenten auf der linken Seite aus, Ihr Partner von denen auf der rechten. Bevor Sie anfangen, lesen Sie bitte erst die Wendungen in der Mitte.

Thema: „Das Für und Wider der Entwicklungshilfe"

Entwicklungshilfe Nachteil für Wirtschaft der Industrienationen. Konkurrenz, Folge: Arbeitslosigkeit	Ich möchte zunächst darauf hinweisen, daß . . . Ich glaube, diese Auffassung ist längst widerlegt. Natürlich sind gewisse Veränderungen nicht zu vermeiden, z. B. . . .	Vorteil für Industrienationen: Dritte Welt guter Handelspartner; Spezialisierungsmöglichkeiten; Folge: wachsender Handel, mehr Arbeitsplätze; Konkurrenz gut für Verbraucher in allen Ländern
Entwicklungsländer selbst schuld an ihrer Lage: Bevölkerungsexplosion, unsinnige Ausgaben für Repräsentation und Bewaffnung	Das ist vielleicht richtig, aber man muß doch auch sehen, daß . . . Diese Argumentation halte ich für völlig oberflächlich. Schließlich ist doch jedem klar, daß . . . Im übrigen . . . Dem muß ich entschieden widersprechen, denn . . .; außerdem: Was wäre denn die Alternative?	Bevölkerung einziger Reichtum mancher Länder, außerdem: Geburtenkontrolle nimmt zu. Geldverschwendung in Industrienationen noch viel größer. Ausgaben für bestimmtes Maß an Repräsentation und Verteidigung des Landes sinnvoll
Entwicklungshilfe letztlich erfolglos; statt Dank nur neue Forderungen	Schön, auch wenn das wirklich so sein sollte, dann muß man sich doch darüber klar sein, daß . . .	Ohne Hilfe gar keine Fortschritte; Forderung nach mehr Hilfe gerechtfertigt

Entwicklungshilfe neue Form des Kolonialismus: statt direkter Ausbeutung jetzt Ausbeutung durch Wirtschafts-„hilfe"	Also entschuldigen Sie, aber das sind doch wirklich nur linke Sprüche. In Wirklichkeit ist doch einfach entscheidend, daß (ob)...	Wo Hilfe = Ausbeutung, Änderungen notwendig; richtige Entwicklungshilfe am Ende Vorteil für beide Seiten
Entwicklungshilfe im Bereich der Bildung: Erziehung zu westlichem Denken und Handeln, Zerstörung der alten Kultur	Wenn Sie unsachlich werden wollen, dann ist es besser, wir brechen die Diskussion ab. Erlauben Sie mal, Sie waren es doch, der zuerst rein emotional argumentiert hat.	Entscheidend: richtige Hilfe. Retten der alten Kultur *und* neue Kultur, wo notwendig. Bloße Beibehaltung der alten Kultur: Armut, Hunger, Entwicklungsländer als Museum und Touristenattraktion. Außerdem Gegengewichte zu westlicher Kultur, z. B. durch China.

X. Rollenspiel

Zwei Delegationen, von denen jede aus einem Fachmann für wirtschaftlich-technische Fragen, einem Politiker und einem Bildungsexperten besteht, treffen sich. Die eine Delegation kommt aus einem Industriestaat, die andere aus einem Entwicklungsland. Die Delegationen wollen ein Programm dafür entwickeln, wie man einer bestimmten Region des Entwicklungslandes helfen kann.

Jede Delegation hat vorher einen Plan ausgearbeitet, wie sie sich die Entwicklung vorstellt, weiß aber nicht, wie der Plan der anderen Delegation aussieht. Auf der Konferenz trägt zunächst ein Sprecher jeder Delegation den Plan vor, und dann müssen sich die beiden Seiten auf einen gemeinsamen Plan einigen. Sollten die Pläne in einigen Punkten schon von Anfang an gleich sein, können die Delegierten gleich Einzelheiten besprechen.

Folgende Punkte könnten z. B. in den Plänen eine Rolle spielen:
Schwerpunkt Gymnasien und Universität (oder: Volksschulen und Lehrlingsausbildung), Schwerpunkt ein Programm zur Förderung der Landwirtschaft (oder: der Industrie), Schwerpunkt ein Vertrag zu einer engen politischen Zusammenarbeit (oder: völlige politische Unabhängigkeit).

Spielen Sie diese Situation.

XI. Interview

Wählen Sie sich einen Partner, und interviewen Sie ihn. Wenn alle Fragen beantwortet sind, tauschen Sie die Rollen.

1. Was verstehen Sie unter dem Begriff „Entwicklungsland"? (Beispiele)
2. Als was würden Sie Ihr Heimatland bezeichnen? Nennen Sie Gründe.
3. Was halten Sie von Entwicklungshilfe? Was sind die Gründe für ihre Einstellung?
4. Wie sollte Entwicklungshilfe im einzelnen aussehen bzw. nicht aussehen? Nennen Sie Beispiele für gelungene bzw. mißlungene Hilfe.
5. Welche Probleme sehen Sie bei der Frage des Bevölkerungswachstums der Entwicklungsländer?
6. Können die Industrienationen auch von den Entwicklungsländern etwas lernen? Begründen Sie Ihre Meinung (und geben Sie Beispiele).
7. Würden Sie selbst als Entwicklungshelfer arbeiten? Warum, warum nicht?

XII. Diskussion

Ernennen Sie einen Protokollanten, der in Stichworten den Verlauf Ihrer Diskussion festhält und am Schluß die Diskussion mündlich zusammenfaßt.

Diskutieren Sie folgende Behauptung: „Nach dem Zweiten Weltkrieg standen die Deutschen vor ähnlichen Problemen wie die Entwicklungsländer heute. Durch Fleiß und harte Arbeit sind die Deutschen reich geworden. Wenn die Entwicklungsländer nur wollten, könnten sie ihre Probleme genausogut lösen."

Anregungen:

Inwiefern waren die Probleme ähnlich? Haben es die Deutschen nur durch Fleiß und harte Arbeit geschafft?

Bedenken Sie u. a. die wirtschaftlich-technische Situation, die Bildung und Ausbildung, die Frage der Arbeitslosigkeit, das Bevölkerungswachstum. Einige Zahlen: Die BRD erhielt nach dem Krieg 3,9 Milliarden D-Mark Wirtschaftshilfe. Die Industrieanlagen waren je nach Industriezweig zwischen 10 und 20 Prozent zerstört. Im Jahre 1955 waren 17,4 Prozent der Bevölkerung Flüchtlinge aus der DDR und den ehemaligen deutschen Ostgebieten.

XIII. Persönliche Stellungnahme

Stellen Sie dar, welches Ihrer Meinung nach die Hauptprobleme der Entwicklungsländer sind, und wie man sie lösen könnte.

Frauenemanzipation

A. Mit schwesterlichen Grüßen

Die Feministensaat geht überall auf: auch in Kleinstädten und auf dem Lande. In großen Städten gibt es meistens mehrere Gruppen. Frankfurt hat allein acht Feministen-Clubs.

Ein Merkmal der Bewegung ist ihre Desorganisation, der viel Spontaneität entspricht. Deshalb weiß aber auch niemand, wie viele Mitglieder die Bewegung hat. Oft haben nicht einmal die Gruppen in ein und derselben Stadt untereinander Verbindung. Informationen von einer Stadt zur anderen vermitteln bisher nur die vier deutschsprachigen Emanzipationsschriften. Sie erscheinen in Selbstverlagen, selbst geschrieben, selbst illustriert, ohne Anzeigen und ständig in Gefahr, nicht genügend Geld für die nächste Nummer zu haben.

Der erste Kongreß dieser Gruppen war 1972. „Da war schnell klar", erinnert sich Margit, eine junge Frau vom Frankfurter Weiberrat, „daß es nicht nur um Abtreibung ging, sondern daß alle Frauen noch andere Themen hatten: Frauen und Gewerkschaften zum Beispiel. Frauen als Erwerbstätige, Frauen in der Familie und vor allem: Welche Funktion sollen autonome Frauengruppen haben?

Neue Theorien haben die Feministinnen noch nicht entwickelt. Was sie wollen, von der Forderung nach gleichem Lohn für gleiche Arbeit bis hin zur Aufhebung der „geschlechtsspezifischen Rollenverteilung, die die kapitalistische Gesellschaft Mann und Frau zudiktiert" – nichts ist neu, alles ist bei Clara Zetkin nachzulesen. Das macht die Forderungen der jungen Frauen von heute nicht überflüssig, es ist nur ein Beweis dafür, wie wenig in über hundert Jahren verändert wurde und daß die Feministinnen zumindest konsequent handeln, wenn sie das Heil in Praxis und Aktion suchen.

Interessant ist auch, daß den Feministen Machtgefühle fremd sind. Lieber kehren sie allem den Rücken und kriechen in die warme, gemütliche Höhle eines Frauenzentrums, um über sich zu reden und mit anderen Frauen Erfahrungen auszutauschen. Viele finden, so scheint es, erst in der Frauenbewegung eine Freundin, die sie vorher nicht hatten. Erst hier nehmen sie teil am Weiberklatsch, von dem schon immer bekannt war, daß er der Hygiene der Seele nützlich ist. Ich sehe darin keinen Fortschritt. Doch was ist schon fortschrittlich an der neuen Frauenbewegung. „Ich weiß es nicht", sagte eine junge Gewerkschaftspolitikerin, die ich fragte, „es ist eine so hoffnungslose Diskussion."

(Nach Nina Grunenberg, DIE ZEIT 14/1974)

I. Wörter und Wendungen

der Feminist, -en jemand, der sich ganz besonders für die Interessen der Frauen einsetzt

die Saat, -en Samen, der in den Boden getan wird, damit neue Pflanzen entstehen

der Feministen-Club, -s Gruppe, Verein von Frauen, wo Probleme der Frau im Mittelpunkt stehen

die Bewegung, -en Gruppe mit gemeinsamen Zielen; gemeinsames Bestreben einer Gruppe

die Spontaneität spontanes Handeln; Selbsttätigkeit ohne äußere Anregung

entsprechen passen, übereinstimmen (Dieser Beruf e. genau meinen Wünschen. Was du sagst, e. nicht den Tatsachen.)

die Abtreibung, -en Beseitigung eines noch nicht geborenen Kindes

autonom selbständig, unabhängig (ein a. Staat, eine a. Entscheidung; a. handeln)

geschlechts-spezifisch dem Mann oder der Frau wegen ihres Geschlechts zukommend, für sie kennzeichnend

II. Falsch oder richtig?

1. *Merkmal* (Zeile 4) bedeutet
   a) Mangel
   b) Kennzeichen
   c) Entdeckung

2. *Desorganisation* (Zeile 4) bedeutet
   a) schlechte, mangelnde Organisation
   b) hervorragende Organisation
   c) fehlendes politisches Interesse

3. *zudiktieren* (Zeile 19) bedeutet
   a) aufzwingen
   b) ermöglichen
   c) zuschreiben

4. *konsequent* (Zeile 22) bedeutet
   a) traditionell
   b) folgsam
   c) folgerichtig

5. *einer Sache den Rücken kehren*   a) einer Sache voll vertrauen
   (Zeile 24/25) bedeutet   b) eine Sache verspotten
   c) sich von einer Sache abwenden

6. *Klatsch* (Zeile 28) bedeutet   a) Sorgen
   b) Gerede, Geschwätz
   c) Freuden

III. Finden Sie für folgende Sätze oder Satzteile Entsprechungen im Text:

1. Ein Kennzeichen dieser Gruppen mit ihren gemeinsamen Zielen ist die mangelhafte Ordnung und Verwaltung.
2. Sie werden ohne Reklame publiziert.
3. Die erste größere Tagung der Bewegung fand 1972 statt.
4. Frauen als Berufstätige
5. Welche Aufgaben, welche Ziele, welche Rolle sollen selbständige Frauen-Clubs haben?
6. Sie suchen Glück, Hilfe und Verbesserungen in Praxis und Aktion.
7. Streben nach Macht und Freude an der Macht kennen sie nicht.

IV. Bitte erklären Sie.

1. Welches Bild liegt dem Satz zugrunde: *Die Feministensaat geht überall auf*?
2. Was ist ein *Selbstverlag*?
3. Geben Sie Beispiele für *geschlechtsspezifische Rollenverteilung*.
4. Was heißt, *sie suchen ihr Heil in Praxis und Aktion*?
5. Was macht man, wenn man *Erfahrungen austauscht*?

V. Vervollständigen Sie die Sätze mit Ihren eigenen Worten.

1. Ein Merkmal der Bewegung ist . . .
2. Deshalb weiß auch niemand, wie viele . . .
3. Informationen von einer Stadt zur anderen . . .
4. „Da war schnell klar", . . ., eine junge Frau vom Frankfurter Weiberrat, „daß es nicht nur um Abtreibung ging, sondern . . ."
5. Alles, was die Feministinnen wollen, . . .
6. Die Tatsache, daß alle Forderungen der jungen Frau von heute schon früher erhoben wurden, ist nur ein Beweis dafür, . . .
7. Sie ziehen sich lieber in ein gemütliches Frauenzentrum zurück, um . . .
8. Vom Weiberklatsch war schon immer bekannt, daß . . .

VI. Fragen zum Verständnis

1. Warum heißt der Text „Mit schwesterlichen Grüßen"?
2. Welches Kennzeichen ist typisch für die Frauenbewegung?
3. Auf welche Weise erfahren die Frauen in verschiedenen Städten voneinander?
4. Was wissen Sie von den Emanzipationsschriften?
5. Welche beiden Themen waren auf dem Kongreß besonders wichtig?
6. Was ist für das Verhältnis von Mann und Frau in kapitalistischen Gesellschaften kennzeichnend?
7. Woran sieht man, daß die Bewegung in über 100 Jahren nicht viel erreicht hat?
8. Wie reagieren die jungen Frauen, wenn es um Machtkämpfe geht?
9. Was hält die Verfasserin von Feministen-Clubs?

VII. Wiedergabeübungen

1. D... Feministensaat geh... überall ...: auch in Kleinstädt... und auf d... Lande. 2. In groß... Städt... gibt ... meistens mehrer... Grupp... 3. Frankfurt ha... allein acht Feministen-Clubs.
4. Ein ... der Bewegung ist ihr... Desorganisation, der viel Spontaneität ...
5. Deshalb ... aber auch niemand, wie viele Mitglieder die ... hat. 6. Oft hab... nicht einmal die Gruppen in ein und derselb... Stadt untereinander ... 7. Informationen von ein... Stadt zu... ander... vermitteln bisher nur d... vier deutschsprachigen ... 8. Sie erscheinen in ..., selbst geschrieb..., selbst illustrier..., ohne ... und ständig in ..., nicht genügend Geld für d... nächst... Nummer zu haben.

2. Geben Sie den Text mit Ihren eigenen Worten wieder. Folgende Stichwörter sind als Hilfe gedacht:

die Feministensaat / ein Merkmal der Bewegung / die Verbindung von einer Stadt zur anderen / der erste Kongreß und seine Themen / die „neuen" Forderungen sind in Wirklichkeit alt / statt Machtkämpfen Rückzug in Frauenzentren / das Urteil der Verfasserin

VIII. Fragen zur Weiterführung des Themas

1. Welche Vor- und Nachteile hätte es für die Frauen, wenn sie besser organisiert wären?
2. Welche Vor- und Nachteile haben die Selbstverlage?
3. Um welche Einzelheiten könnte es bei den fünf erwähnten Themen von 1972 gegangen sein?

4. Was hat sich Ihrer Meinung nach an der Situation der Frauen in den letzten 100 Jahren geändert?
5. Sollen die jungen Frauen eher theoretisch arbeiten oder lieber die Aktion suchen?
6. Was halten Sie von der Reaktion der jungen Frauen auf Machtkämpfe?
7. Ist die neue Frauenbewegung, sind die Frauen-Clubs ein Fortschritt?

IX. Der Relativsatz

1. Schreiben Sie aus dem Text die Relativsätze (5) heraus, und unterstreichen Sie die Relativpronomen und das flektierte Verb.

2. Setzen Sie in dem folgenden Text die Relativpronomen ein:

Eine Frau, ... komponiert, ist selten. Gibt es bei Mann und Frau irgendwelche unterschiedlichen Fähigkeiten, ... dafür verantwortlich sind? Oder ist die Gesellschaft, ... die Rollen nach dem Geschlecht verteilt werden, daran schuld? Warum z. B. wurde Wolfgang Amadeus Mozart, ... es die Gesellschaft sicherlich nicht leicht machte, zu einem der größten Komponisten, während seine Schwester, ... Ruhm als musikalisches Wunderkind fast ebenso groß war, heute beinahe vergessen ist?

3. Vervollständigen Sie den folgenden Satz, indem Sie aus den Sätzen 1–6 Relativsätze machen.

Auf Gebieten wie Mathematik, Musik, Malerei gibt es verhältnismäßig wenig berühmte Frauen. Die Frage, ob das an unterschiedlichen Fähigkeiten von Mann und Frau liegt, ist eine Frage ...

1. Die Frage wird von Feministinnen entschieden verneint.
2. Der Frage wird häufig mit dem Hinweis auf die geschlechtsspezifische Rollenverteilung in der kapitalistischen Gesellschaft begegnet.
3. Die Frage beantworten viele Leute mit dem Gefühl und nicht mit dem Verstand.
4. Auf die Frage gibt auch das Beispiel von Mozart und seiner Schwester keine eindeutige Antwort.
5. Zu der Frage sollte man die Geschichte und den Vergleich verschiedener Kulturen heranziehen.
6. Die Bedeutung der Frage für die Stellung der Frau in der Gesellschaft wird manchmal überbewertet.

Beispiel: Die Frage, ob das an unterschiedlichen Fähigkeiten von Mann und Frau liegt, ist eine Frage, die von Feministinnen entschieden verneint wird (1).

B. Petra (Drama in 5 Akten)

I. Wörter und Wendungen

nichts aus Büchsen	keine Konserven	der Trauschein, -e	staatliche (kirchliche) Bescheinigung der Eheschließung
bügeln	Kleidungsstücke mit dem Bügeleisen glätten	die Kommune, -n	Gruppe von Menschen, die wie in einer Familie zusammenleben
sorgen für	sich kümmern, sich bemühen um	der Streit	Zank, Auseinandersetzung
der Egoist, -en	jemand, der nur an sich denkt	sich abwechseln	sich gegenseitig ablösen
die Persönlichkeit	Mensch als Person, in seiner Eigenart	die Spannung, -en	Unstimmigkeit, Feindseligkeit
achten	respektieren	der Haussegen hängt schief	es herrscht Uneinigkeit
ausbeuten	skrupellos ausnutzen		

II. Beantworten Sie folgende Fragen:

1. Welche Gründe nennt Petra dafür, daß das Haushaltsgeld nicht reicht?
2. Wolfgang bietet Petra an, wieder im Geschäft zu arbeiten. Wie reagiert Petra?
3. Wie ist es zur Ehe von Wolfgang und Petra gekommen?
4. Wie steht Wolfgang zum Leben in einer Kommune?
5. Was hält Petra davon ab, in einer Kommune zu leben?
6. Womit endet die Szene?

III. Textklärung

1. Was muß eine Frau vom *Haushaltsgeld* zum Beispiel bezahlen?
2. Geben Sie eine andere Wendung für: *Du bist wohl nicht ganz dicht.*
3. Wie könnten folgende Sätze vollständig lauten: *Jeden Tag zweimal warmes Essen und ja nichts aus Büchsen. Jeden Tag ein sauberes und natürlich gebügeltes Hemd für den Herrn?*
4. Nennen Sie einen anderen Satz für: *Aber meine Arbeit ist ja gar nichts.*

5. Was ist mit *Sachen* gemeint in dem Satz: *Die Kinder wachsen aus ihren Sachen?*
6. Was macht eine *Abteilungsleiterin?*
7. Was kann man anstelle von *unbedingt* sagen?
8. Was will Wolfgang ausdrücken, wenn er sagt: *Weibliche Logik?*
9. Nennen Sie eine andere Wendung für: *Daß ich nicht lache.*
10. Was wird durch *ausgerechnet du* zum Ausdruck gebracht?

IV. Was sagen Petra und Wolfgang wirklich? Verbessern Sie folgende Sätze:

1. *Petra:* Ich sorge für den Haushalt und die Kinder, und du achtest diese Arbeit.
2. *Wolfgang:* Ein Glück, daß ich wenigstens in der Schule keine Sorgen habe.
3. *Wolfgang:* Ich finde es gut, daß wir nicht ohne Trauschein zusammenleben.
4. *Petra:* Wir können uns ja mal eine Kommune ansehen.
5. *Wolfgang:* Wenn wir in einer Kommune lebten, wärst du dort vielleicht Abteilungsleiterin.
6. *Petra:* Ich glaube, in einer Kommune gibt es keine Spannungen.
7. *Wolfgang:* Wenn man in einer Kommune lebt, muß man natürlich alles teilen.

V. Bitte vervollständigen Sie sinngemäß.

1. *Wolfgang:* Aber du kannst ja wieder arbeiten gehen, wenn du meinst . . .
2. *Petra:* Du weißt genau, daß ich nur wegen . . . Wenn ich damals nicht geheiratet hätte, . . .
3. *Wolfgang:* Darf ich dich vielleicht daran erinnern, daß du damals . . .
4. *Wolfgang:* Streit wegen des Haushaltsgelds gibt es in einer Kommune nicht, weil . . .
5. *Petra:* . . . hängt schon der Haussegen schief. Da möchte ich mal sehen, was passiert, wenn . . .

VI. Fragen zum Verständnis

1. Womit fängt der Streit zwischen Wolfgang und Petra an?
2. Nach den Worten „Na und?" trägt Petra unterschiedliche Argumente vor. Welche?
3. Wolfgang antwortet darauf ebenfalls mit unterschiedlichen Argumenten. a) Mit welchen? b) Auf welche Argumente Petras ist er damit ausschließlich eingegangen?
4. Wie reagiert Petra auf den Vorschlag Wolfgangs, sie könne wieder arbeiten gehen?

5. Wolfgang antwortet nur auf einen Teil von Petras Reaktion. a) Auf welchen? b) Wie?
6. Was spricht in Wolfgangs Augen für eine Kommune?
7. Wie reagiert Petra darauf?
8. Wie verteidigt Wolfgang daraufhin sein Bild von einer Kommune?

VII. Sprechen Sie nach, was Sie hören. ⚬○

VIII. Wiedergabeübungen

1. Geben Sie die Auseinandersetzung von Wolfgang und Petra mit Hilfe folgender Stichwörter wieder:

Petra: 250,– Wolfgang: Letzte Woche 100,–
Petra: Essen, Hemd, Kinder, Miete, Egoist, Schule. Wolfgang: Keine Sorgen? Persönlichkeit, Geschäft, achten.
Petra: Zu Hause geblieben, Kinder; Abteilungsleiterin, Freiheit. Wolfgang: Unbedingt heiraten; ohne Trauschein.
Petra: Kommune. Wolfgang: Weibliche Logik; Kommune nicht das schlechteste, Hilfe, Arbeit geachtet, Abwechseln beim Geldverdienen; Abteilungsleiterin.
Petra: Spannungen, Klaus, Haussegen schief. Wolfgang: Nicht alles teilen.

2. Versuchen Sie jetzt die Szene zu spielen.

IX. Transkript

Bitte hören Sie sich die Auseinandersetzung zwischen Wolfgang und Petra noch einmal an. Nach jedem Satz oder nach einem Teil des Satzes schreiben Sie auf, was Sie gehört haben.

X. Stellungnahme zum Text

1. Nehmen Sie Stellung zu Petras Behauptung: „Ich muß alles machen."
2. Welche Schwierigkeiten bestünden (für Petra, für Wolfgang), wenn Petra wieder arbeiten ginge?
3. Nehmen Sie Stellung zu Petras Satz: „Ich hätte meine Freiheit."
4. Ist „Kommune" und „ohne Trauschein leben" Ihrer Meinung nach eins?
5. Sympathisieren Sie mit Petra oder Wolfgang oder mit beiden? Warum?
6. Wie beurteilen Sie die Argumentationsweise von Petra und Wolfgang, und was verrät diese über die Ehe der beiden?

7. Glauben Sie, Petra und Wolfgang würden in einer Kommune besser miteinander auskommen?
8. Was halten Sie von der Dramenszene? (Ist das Gespräch typisch oder nicht? Werden Ehe und Kommune richtig gekennzeichnet?)
9. Wie wird das Drama weitergehen?

XI. Jedes Ding hat zwei Seiten

Wählen Sie sich einen Partner. Sie gehen von den Argumenten auf der linken Seite aus, Ihr Partner von denen auf der rechten. Bevor Sie anfangen, lesen Sie bitte erst die Wendungen in der Mitte.

Thema: „Das Für und Wider der Kommune"

Mitglieder einer Kommune wechseln sich bei jeder Arbeit ab	Ein starkes Argument für ... ist nach meiner Überzeugung ...	Keiner verantwortlich; jeder Angst, daß er mehr macht als andere
Lebensmittel billiger; teure Geräte gemeinsam	Da ist etwas dran. Aber haben Sie sich schon mal über die Konsequenzen Gedanken gemacht?	Essen, was die anderen wollen; Geräte nicht gepflegt, schnell kaputt
Sauna, Hobby-, Sportraum	Das würde ich ganz stark bezweifeln ...	Alle Anlagen kann man nicht haben; der eine lieber Sauna, der andere lieber etwas anderes
Kinder immer beaufsichtigt, immer Spielkameraden	Nehmen wir jetzt einen ganz anderen Aspekt. Es ist sicher unbestreitbar ...	Gehorsam? Disziplin, Verantwortung? Schwierige Situation bei Auflösung der Kommune
	Auch hier ist nicht alles Gold, was glänzt. Denken Sie nur daran, daß ...	Wer nichts kann?
Gegenseitige Hilfe durch das, was jeder gelernt hat	Ich glaube, auch das läßt sich in dieser Form nicht halten, denn ...	
Pflege alter Leute, Kranker etc. besser als im Altersheim, Krankenhaus etc.	Und wie steht es mit Dingen wie ... Sie werden zugeben müssen, daß ...	Keine Fachleute. Eigene Sorgen

Gemeinsam diskutieren, essen, fernsehen, Sport treiben	Bis zu einem gewissen Grad ist das sicher positiv, aber ...	Individuelle Freiheit verloren; Promiskuität
Wärme, Geborgenheit durch die Gruppe	Na schön, aber ...	Hilflos außerhalb der Gruppe

XII. Rollenspiel

Eine radikale Feministin, eine Hausfrau, die ziemlich zufrieden mit ihrem Leben ist, ein ganz konservativer Mann und ein Mann, der viele Forderungen der Feministin akzeptiert, aber gleichzeitig auch die Emanzipation der Männer fordert, diskutieren das Thema der Gleichberechtigung von Mann und Frau. Spielen Sie diese Situation.

XIII. Interview

Wählen Sie sich einen Partner und interviewen Sie ihn. Wenn alle Fragen beantwortet sind, tauschen Sie die Rollen.

Anregungen:

1. Wollen Sie einmal heiraten, oder sind Sie gegen die Institution „Ehe"? Warum?

   Den Richtigen finden, Freiheit behalten, veraltete Form des Zusammenlebens

2. Welche Eigenschaften hat für Sie der ideale Ehemann (die ideale Ehefrau)?

   Aussehen, Alter, Intelligenz, Sport, Musik, Reichtum, Interessen

3. Würden Sie lieber zu einer herkömmlichen Familie oder zu einer Kommune gehören? Warum?

4. Welche Vor- und Nachteile hat die Ehefrau (der Ehemann), die (der) nicht berufstätig ist, sondern den Haushalt führt?

   Arbeit einteilen, Ausruhen, Hobby, Hauspflege, Kinder, Gespräche. Langeweile, verdummen, keine Anerkennung, keine Karriere

5. Haben Mann und Frau die gleichen Rechte und Chancen? (Beispiele)

6. Gibt es nur äußere Unterschiede zwischen Mann und Frau, oder haben Mann und Frau auch unterschiedliche Fähigkeiten?

7. Sind Sie der Meinung, daß es mehr Frauengruppen geben sollte? Warum, warum nicht?

8. Sollte es „Männergruppen" geben? Warum, warum nicht?

„Großartig, Liebster, ein Plattenspieler mit vier Tellern!"

XIV. Diskussion

Ernennen Sie einen Protokollanten, der in Stichworten den Verlauf Ihrer Diskussion festhält und am Schluß die Diskussion mündlich zusammenfaßt.

Diskutieren Sie folgende Parolen: „Kinderzimmer, Heim und Herd sind kein ganzes Leben wert", „Eheliche Pflichten, wir verzichten", „Das Weib sei willig, dumm und stumm, diese Zeiten sind jetzt um", „Ungeborenes wird geschützt, Geborenes wird ausgenützt", „Müßten Männer Kinder kriegen, wäre Abtreibung längst ein Sakrament".

XV. Persönliche Stellungnahme

„Emanzipation" heißt „Befreiung von Abhängigkeit und Bevormundung". Stellen Sie dar, was Ihnen zu Ihrer persönlichen Emanzipation fehlt und was man tun müßte, um die Emanzipation eines jeden Menschen zu sichern.

79

Alte Leute in der Gesellschaft

A. Sozialmedizinische Aspekte des Alters

1 Um alten Leuten einen Lebensabend in Zufriedenheit zu sichern, muß man dafür
2 sorgen, daß sie nicht einsam werden. Genau das Gegenteil davon wird erreicht,
3 wenn man die im Berufsleben stehenden Personen mit 65 Jahren pensioniert, sie
4 also von einem Tag auf den anderen aus ihrem beruflichen Aufgabenkreis reißt.
5 Ein ähnliches Problem wie das plötzliche Ausscheiden aus dem Berufsleben ist der
6 Verlust von Pflichten und Verantwortung innerhalb der Familie. Wenn die Kinder
7 wegen Heirat oder aus beruflichen Gründen die Eltern verlassen, verlieren Vater
8 und Mutter einen großen Teil ihrer bisherigen Aufgaben. Vom Mann wird dieser
9 Verlust weniger stark empfunden, solange er noch im Berufsleben steht. Für die
10 Frau, die nicht berufstätig ist, hat er dagegen die gleichen Folgen wie die Pensionie-
11 rung für den Mann.
12 Als Ersatz für Mann und Frau bietet sich die Alten-Gruppe an. Hier finden ältere
13 und alte Menschen Anerkennung durch Menschen, die sich in ähnlicher Lage be-
14 finden. Als Alten-Gruppen sind weder das Kaffeekränzchen noch der Stammtisch zu
15 betrachten, die niemals einen Familien- und Berufsersatz darstellen können.

Bei den Gruppen handelt es sich um Gemeinschaften von alten Personen, die, um der Isolierung zu entgehen, regelmäßig Kontakt pflegen und Probleme von gemeinsamem Interesse erörtern. Die bei alten Menschen oft beobachtete Orientierung auf die Vergangenheit tritt bei Mitgliedern von Alten-Gruppen kaum in Erscheinung. Das Leben in der Gruppe bietet eine Zukunft. Die Mitglieder konzentrieren sich nicht ständig nur auf sich selbst. Deshalb werden auch Krankheiten nicht überbewertet und die Todesnähe weniger empfunden.

Die Tätigkeit in der Gruppe bildet jedoch nur einen Teil des Lebensinhalts. Um dem „dritten Lebensalter" einen Sinn zu geben, braucht der alte Mensch eine Beschäftigung, ein Hobby. Auf diese Beschäftigung sollte er vorbereitet werden, solange er noch im Berufsleben steht.

(Nach: M. Schär, *Sozialmedizinische Aspekte des Alters*)

I. Wörter und Wendungen

der Aspekt, -e	Gesichtspunkt (Das ist ein wichtiger A. Wir müssen alle A. dieses Problems berücksichtigen.)	etwas bietet sich an	etwas liegt nahe, drängt sich auf (Der Wein war sehr billig; deshalb bot es sich an, gleich mehrere Flaschen zu kaufen.)
der Lebensabend	der letzte Teil des Lebens	die Isolierung	Vereinsamung, Alleinsein
im Berufsleben stehen	berufstätig sein, einen Beruf ausüben	sich konzentrieren auf	die Gedanken auf einen einzigen Punkt richten
die Folge, -n	Auswirkung, Ergebnis	einen Sinn geben	Bedeutung, Ziel und Zweck geben
		die Beschäftigung, -en	Tätigkeit; etwas, dem man seine Zeit widmet

II. Falsch oder richtig?

1. *jdn. pensionieren* (Zeile 3) bedeutet

a) jdn. zur Erholung in ein Fremdenheim schicken

b) jdn. zur Weiterbildung in eine Schule schicken

c) jdn. mit einem festen Gehalt aus Altersgründen entlassen

2. *das Kaffeekränzchen* (Zeile 14) bedeutet
   a) (regelmäßiges) Zusammentreffen von Frauen, um bei einem Kaffee zu plaudern
   b) Versammlung von Kaffeefachleuten
   c) Kette von kleinen Kaffeegeschäften

3. *der Stammtisch* (Zeile 14) bedeutet
   a) Tisch aus einem einzigen Baumstamm
   b) Gruppe von Männern, die sich regelmäßig an einem bestimmten Tisch im Wirtshaus treffen
   c) Tisch, der für gute Kunden reserviert ist

4. *Probleme von gemeinsamem Interesse erörtern* (Zeile 17/18) bedeutet
   a) Probleme, die alle angehen, diskutieren
   b) Probleme von gemeinsamem Interesse an Ort und Stelle lösen
   c) Probleme, die für alle interessant sind, an einem bestimmten Ort diskutieren

III. Finden Sie für folgende Sätze oder Satzteile Entsprechungen im Text:

1. Damit alte Leute den letzten Teil ihres Lebens glücklich und zufrieden verbringen können . . .
2. Der Mann fühlt diesen Verlust weniger . . .
3. In diesen Gruppen finden ältere Menschen Beachtung, Selbstbestätigung und Lob.
4. In diesen Gruppen sind Personen, die sich regelmäßig treffen, um nicht einsam und allein zu sein.
5. Aus diesem Grund werden auch Krankheiten nicht überbetont und zu wichtig genommen.

IV. Bitte erklären Sie.

1. Was gehört zum *beruflichen Aufgabenkreis* eines Lehrers?
2. Was verstehen Sie unter *plötzlichem Ausscheiden* aus dem Beruf?
3. Was gehört zu den *Pflichten* von Eltern?
4. Worin zeigt sich nach Ihrer Meinung die *Orientierung auf die Vergangenheit* bei alten Leuten?

5. Was ist der zentrale *Lebensinhalt* eines Dichters, Musikers, Arztes?
6. Wenn es ein *drittes Lebensalter* gibt, was ist dann das erste und zweite Lebensalter?

V. Vervollständigen Sie die Sätze mit Ihren eigenen Worten.

1. Damit alte Leute einen zufriedenen Lebensabend haben, muß man . . .
2. Man macht die alten Leute unzufrieden und unglücklich, und man isoliert sie, wenn man . . .
3. . . . ist der Verlust von Pflichten und Verantwortung innerhalb der Familie.
4. Vom Mann wird der Verlust weniger stark empfunden, solange er . . .
5. Als Alten-Gruppen sind weder das Kaffeekränzchen noch der Stammtisch zu betrachten, die . . .
6. Um dem „dritten Lebensalter" einen Sinn zu geben, . . .

VI. Fragen zum Verständnis

1. Wann verlieren die Eltern einen Teil ihrer bisherigen Aufgaben?
2. Welche Frauen empfinden den Verlust der Pflichten innerhalb der Familie besonders stark?
3. Was können alte Leute machen, wenn sie pensioniert werden und die Kinder nicht mehr zu Hause sind?
4. Welche Vorteile hat eine Alten-Gruppe? (mindestens 4)
5. Was brauchen alte Menschen als Ergänzung zu den Alten-Gruppen?
6. Wann sollte man mit einem Hobby beginnen?

VII. Wiedergabeübungen

1. Vervollständigen Sie den Text.

1. Um alt. . . Leut. . . ein. . . Lebensabend in Zufriedenheit zu sich. . ., muß man dafür sorg. . ., d. . . sie nicht einsam werden. 2. Genau d. . . Gegenteil da. . . w. . . erreich. . ., wenn man d. . . im Berufsleben stehend. . . Person. . . mit 65 Jahr. . . pensionier. . ., sie also von ein. . . Tag auf d. . . ander. . . aus ihr. . . beruflich. . . Aufgabenkreis reiß. . .
3. Ein ähnliches Problem wie das plötzliche . . . aus dem . . . ist der Verlust von . . . und . . . innerhalb der . . . 4. Wenn die Kinder wegen . . . oder aus . . . Gründen die Eltern verlassen, . . . Vater und Mutter einen großen Teil ihrer . . . Aufgaben.
5. Vom Mann wird dieser . . . weniger stark empfunden, . . . er noch im Berufsleben steht. 6. Für die Frau, die nicht . . . ist, hat er dagegen die gleichen . . . wie die . . . für den Mann.

2. *Geben Sie den Rest des Textes mit Hilfe folgender Stichwörter wieder:*

Als Ersatz / Anerkennung finden / Kaffeekränzchen, Stammtisch / Isolierung entgehen, Kontakt pflegen, Probleme erörtern / Vergangenheit – Zukunft / sich konzentrieren auf / Krankheiten, Todesnähe / Teil des Lebensinhaltes / Sinn geben, Beschäftigung / vorbereiten.

VIII. Fragen zur Weiterführung des Themas

1. Warum werden Ihrer Meinung nach die Berufstätigen mit 65 Jahren pensioniert?
2. Was könnte man tun, damit die Pensionierung zu keinem so großen Problem wird?
3. Warum empfinden Frauen, die nicht berufstätig sind, den Verlust der Pflichten innerhalb der Familie besonders stark?
4. Warum sind Ihrer Meinung nach das Kaffeekränzchen und der Stammtisch kein Ersatz für Familie und Beruf?
5. Warum denken Mitglieder von Alten-Gruppen weniger an die Vergangenheit und mehr an die Zukunft?
6. Sind die Alten-Gruppen Ihrer Meinung nach wirklich so positiv, wie der Text sie darstellt?
7. Warum sollte man mit einem Hobby anfangen, bevor man alt ist?
8. Der Text läßt die Lage der Leute über 65 als ziemlich schwierig erscheinen. Gibt es heute nicht auch viele positive Aspekte dieser Altersstufe? Begründen Sie Ihre Meinung.

IX. „als" oder „wenn"?

1. . . . immer mehr Leute in die Städte zogen, lösten sich die Bindungen zwischen jungen und alten Menschen.
2. . . . man fragt, wer darunter am meisten zu leiden hat, muß die Antwort heißen: die Alten.
3. Heute haben alte Leute nur dann feste Aufgaben, . . . sie auf dem Land wohnen und bei der bäuerlichen Arbeit helfen.
4. Das gilt auch dann, . . . die alten Menschen völlig gesund sind.
5. . . . man in Bern und Zürich dieses Problem erkannte, hat man ein Büro eingerichtet, das alten Leuten leichte Arbeiten vermittelt.
6. In Köln an der Sporthochschule wurden Sportkurse für alte Menschen eingeführt, . . . man erfuhr, wie gern viele ältere Leute Sport treiben.
7. . . . in England die Zeitungen berichteten, daß manche alten Leute in ihrer Wohnung verhungern, . . . sie nicht mehr einkaufen können, beschloß man, alten Leuten täglich eine warme Mahlzeit ins Haus zu bringen.

8. . . . man dafür sorgen will, daß das Alter ein schöner Teil des Lebens wird, muß man auch daran denken, daß die alten Leute genügend Geld bekommen.
9. . . . man die folgende Wunschliste von alten Leuten liest, sieht man, daß es noch viel zu tun gibt: Abholen mit dem Auto für den Gottesdienst, Besorgen von Einkäufen, Erledigung von Anträgen bei Behörden usw.

Spruchweisheiten

Das Alter ist ein Tyrann, der bei Todesstrafe alle Vergnügungen der Jugend verbietet. (de La Rochefoucauld)

Das Alter ist nicht trübe, weil darin unsere Freuden, sondern weil unsere Hoffnungen aufhören. (Jean Paul)

Was ein Alter im Sitzen sieht, kann ein Junger nicht mal im Stehen erblicken.

Das Alter wägt und mißt es, die Jugend spricht: So ist es. Die Welt braucht beides.

Wenn du keinen alten Menschen im Hause hast, so leihe dir einen.

Schnabbschiss (Fritz Ullrich)

Heute war der Oba in Stimmung. Nach zwei Schöppchen hatte er Glitzeräugelchen, nach dem dritten einen roten Kopf. Nach dem vierten begann er zu singen. Nach dem fünften sagte einer am Tisch: „Ei, sacht 'm doch emol, dasser genuch hat!" — „Zu spät! Ewe hat er sei Hörapperätche abgestellt."

. . . sagte das freundliche Frauchen zu dem Autobastler, der unter seinem Wagen lag: „Sie kenne vorkomme! Es hat uffgehört zu rechne!"

. . . sagte der Mann: „Aa von meine drei aale Tande hat en beese Huste; ich habere grad e Fläschje Kimmel gebracht." — „Un?" — „Jetzt huste die zwaa annere aach."

. . . rutschte der alte Herr auf dem Glatteis aus und stürzte, und zwei Passanten eilten herbei und halfen ihm wieder auf die Beine, und einer fragte besorgt: „Hawwe Se sich aach nix gebroche?", und der alte Herr sagte: „Des kontrollier ich, wann ich dahaam bin."

B. Bloß nicht ins Altersheim!

I. Wörter und Wendungen

| das Wohnstift, -e | Wohnheim (altertümlich; besonders kirchlich) | verzichten auf | aufgeben |
| | | lieb und wert sein | gern haben, schätzen |

die Schrank- küche, -n	Küche, die in einen Schrank eingebaut ist	Geld anlegen	Geld in der Hoffnung auf Gewinn investieren
die Handrei- chung, -en	kleine Hilfeleistung	gemeinnützig	was der Allgemeinheit nützt
sich verwöhnen lassen	sich jeden Wunsch erfüllen lassen	das gemein- nützige Unter- nehmen, -	Wirtschaftsbetrieb, dessen Ziel nicht finanzieller Gewinn ist
die Diät	besonderes Essen für Kranke	der Gesell- schafter	Miteigentümer eines Unternehmens
die Schonkost	Essen, das den Magen etc. schont	das Darlehen, -	Geld, das man verleiht
der Service	Dienst(leistung)		
die Bridge- runde, -n	Leute, die zusammen Bridge (ein Kartenspiel) spielen	der Pensions- preis, -e	Preis für Unterkunft und Verpflegung
		das Detail, -s	die Einzelheit

II. Beantworten Sie folgende Fragen:

1. Wofür wird in der Reklame geworben?
2. An welche Vorteile der „Ware" erinnern Sie sich?
3. Was wird über die Zimmer gesagt?
4. Was wird über das Essen gesagt?
5. Was wird über das Freizeitangebot gesagt?
6. Kann man die „Ware" vorher ausprobieren? Wenn ja, wie?
7. Was steht für kranke Leute zur Verfügung?
8. Wie groß ist der Gewinn des „Erzeugers dieser Ware"?
9. Was kann man machen, wenn man mehr über die „Ware" wissen will?

III. Textklärung

1. Was ist ein *Altersheim*?
2. Bilden Sie einen Aussagesatz, der dem Ausruf *Bloß nicht ins Altersheim!* entspricht.
3. Was heißt *vom Gegenteil überzeugen*?
4. Finden Sie ein anderes Wort für *Voraussetzung,* oder erklären Sie die Bedeutung des Wortes an einem Beispiel (z. B. die *Voraussetzung* für ein Studium).
5. Was bedeutet *Ausstattung nach Ihrem Geschmack*?
6. Beschreiben Sie das Spiel *Kegeln*.

7. Was verstehen Sie unter *Probewohnen*?
8. Was ist das Gegenteil von *fachmännisch*?
9. Geben Sie ein Synonym für *namhaft*.

IV. Wie heißt es in der Reklame wirklich? Verbessern Sie die folgende Sätze:

1. Wenn Sie eine verständliche Abneigung gegen Altersheime haben, haben Sie völlig recht.
2. Die Ausstattung der Appartements übernehmen wir für Sie.
3. Die Schrankküche dürfen Sie sich selbst einrichten.
4. Leider können wir nur Normalkost servieren.
5. Bei längerer Krankheit bringen wir Sie in das beste Krankenhaus.
6. Wir bieten jedem die gleiche einheitliche Finanzierungsmöglichkeit.
7. Ihr Geld können Sie bei uns nicht anlegen.

V. Bitte vervollständigen Sie sinngemäß.

1. Wir bieten Ihnen ein gemütliches Zuhause, damit Sie auf nichts zu verzichten brauchen, was . . .
2. Die Schrankküche ist rationell und modern eingerichtet, damit Sie . . .
3. Sie können sich von unserer guten Küche . . .
4. . . . wie bei allen Serviceleistungen und -einrichtungen, die wir Ihnen anbieten.
5. Am besten, Sie überzeugen . . .
6. Sie können sich die Pflegestationen ansehen, die . . .
7. Sie werden auf Wunsch fachmännisch betreut, solange . . .
8. Sie bezahlen DM 757,50 einschließlich . . .

VI. Fragen zum Verständnis

1. Was will das Unternehmen mit seinen „Alterswohnsitzen" erreichen?
2. Warum hebt das Unternehmen hervor, daß die Einrichtung der Appartements den alten Leuten überlassen bleibt?
3. Nach welchen Gesichtspunkten sind die Küchen angelegt?
4. Welche drei Vorzüge der Wohnstiftküche, die alle versorgt, werden erwähnt?
5. Warum hebt das Unternehmen hervor, daß es ein breites Freizeitangebot in seinen Altersheimen hat?
6. Was passiert, wenn die alten Leute krank werden?
7. Warum ist das Geld der alten Leute, nach Aussage des Textes, bei dem Unternehmen gut angelegt?

VII. Wiederholen Sie, was der Sprecher sagt. ꙮ

VIII. Wiedergabeübungen

1. Setzen Sie passende Wörter ein.

1. Wenn Sie eine verständliche . . . gegen . . . haben, dann werden wir Sie mit unseren Alterswohnsitzen vom Gegenteil . . . 2. Denn unsere Wohnstifte in Göttingen, Neustadt an der Weinstraße und Trippstadt/Pfälzer Wald . . . zwei entscheidende . . .: Sie . . . Ihnen Sicherheit und ein gemütliches . . ., damit Sie auf nichts zu . . . brauchen, was Ihnen bisher . . . gewesen ist. 3. Deshalb übernehmen Sie zum Beispiel auch selbständig die . . . Ihres modernen Ein- oder Zweizimmer-Appartements nach Ihrem . . . und mit Ihrem Mobiliar. 4. Nur die . . . ist bereits . . . und modern eingerichtet, damit Sie keine zu weiten . . . machen müssen und zu viele . . ., wenn Sie lieber in Ihrem . . . frühstücken oder einige Ihrer sympathischen . . . zum Abendessen . . . wollen.

2. Sie haben ein Altenheim dieses Unternehmens besichtigt, und ein Bekannter stellt Ihnen folgende Fragen:

a) In den Altenheimen ist es doch bestimmt furchtbar langweilig?
b) Was man über das Freizeitangebot in den Altenheimen sagt, hört sich ja ganz gut an. Aber woher weiß ich, daß auch alles stimmt?
c) Was passiert, wenn man in diesen Altersheimen krank wird?
d) Verdient das Unternehmen nicht unheimlich viel bei so vielen alten Leuten?
e) Was muß man denn für ein Einzimmerappartement bezahlen?

Beantworten Sie die Fragen Ihres Bekannten.

IX. Transkript

Bitte hören Sie sich den Text noch einmal an. Nach jedem Satz oder nach einem Teil des Satzes schreiben Sie auf, was Sie gehört haben.

X. Jedes Ding hat zwei Seiten

Wählen Sie sich einen Partner. Sie gehen von den Argumenten auf der linken Seite aus; Ihr Partner versucht, Ihre Argumente mit den Anregungen auf der rechten Seite zu entkräften. Bevor Sie anfangen, lesen Sie bitte erst die Wendungen in der Mitte.

Thema: „Auch das Alter ist lebenswert"

Runzeln, Falten, falsche Zähne	Einleitend möchte ich zunächst darauf hinweisen . . .	Bekannte, Freunde werden auch nicht jünger
Körperlich schwach, krank: nur 16 von 570 älteren Testpersonen völlig gesund	Das habe ich erwartet, aber bedenken Sie . . .	Krankheit in jedem Lebensalter; sich fit halten
	Völlig richtig, aber . . .	
Kein Geld, Rente der Witwen von Angestellten: 370 DM	Natürlich, aber . . .; im übrigen . . .	Vorher sparen, Zusatzversicherung; geringere Bedürfnisse und daher weniger Ausgaben
	Das ist zwar keine Patentlösung, aber immerhin eine Möglichkeit, wie man das Problem anpacken könnte.	
Nichts Sinnvolles zu tun		Ruhe, Muße, Hobby, Reisen
Keine Funktion in Gesellschaft: sozial tot	Dagegen kann man doch etwas tun.	Adenauer, Churchill, Mao! Erziehung der Enkel
Einsamkeit: 56% der Alten ganz allein	Ob das wirklich möglich ist, müßte man genau untersuchen.	Einsamkeit junger Leute. Altersheime
Nachteile des Altersheims: lauter alte Leute, häßliche Häuser und Zimmer (nur $1/3$ nach 1945 gebaut; $1/3$ der Zimmer 3 und mehr Betten), unfreundliches Personal, kein Freizeitangebot, Verlassen der gewohnten Umgebung (24% sterben in den ersten 6 Monaten nach Umzug ins Altersheim – vergleichbare Altersstufe: 10%)	Aber um auf die Schwierigkeiten zurückzukommen, haben Sie schon mal bedacht . . .	Vorteile des Altersheims, Zweifel an genannten Nachteilen
	Das ist doch einfach nicht wahr.	
	Sie scheinen das Ganze in einem sehr rosigen Licht zu sehen.	
	Denken Sie doch nur an die Tatsache . . .	
	Das scheint mir übertrieben.	

Angst vor dem Tod	Es gibt da eine Reihe von Gegenbeispielen.	Tod junger Leute (Un-fälle!); in Ruhe auf Tod vorbereiten
Alter nicht lebenswert: Selbstmordrate auf je 100 000 Einwohner: 75–80jährige: 57; 80–85jährige: 69; 85–90jährige: 72; über 90jährige: 103. Durchschnitt der anderen Altersgruppen: 28	Das sind Ausnahmen. In jedem Fall aber gibt . . . Erstens . . . und zweitens . . . Ich bin Ihnen sehr dankbar, daß Sie gerade . . . erwähnen. Gerade hier zeigt sich doch . . .	

XI. Rollenspiel

Eine Organisation für alte Leute hat einen „linken" Politiker, einen „rechten" Politiker, einen Lehrer, einen Vertreter von Rundfunk und Fernsehen und den Vorsitzenden eines Sportvereins eingeladen. Der Sprecher der alten Leute stellt den Gästen die untenstehenden Fragen. Spielen Sie diese Situation.

1. Warum bauen Sie die Altersheime an den Rand der Städte ins Grüne statt in die Umgebung, die die alten Leute gewöhnt sind?
2. Warum bauen Sie überhaupt Altersheime, statt die alten Leute in ihren Wohnungen zu lassen?
3. Warum verhindern Sie nicht, daß die Arzneimittelindustrie den Alten „für jedes Grillchen ein Pillchen" verkauft?
4. Warum organisieren Sie Kaffeekränzchen, Busfahrten und Diavorträge, wo die alten Leute nur zur Passivität veranlaßt werden?
5. Warum bieten Sie in Rundfunk und Fernsehen den jungen Leuten alles, den alten Leuten nichts?
6. Warum fördern Sie die Spitzensportler und tun nichts für den Altensport?
7. Warum besprechen Sie in der Schule Zeugung und Geburt und verschweigen Alter und Tod?
8. Warum tun Sie nichts gegen eine Einstellung, die zwar 17jährigen Verliebten das Küssen auf der Straße zubilligt, einem 70jährigen Liebespaar dagegen nicht?

9. Warum geben Sie alten Leuten keine Aufgaben und Funktionen, wenn doch Fontane mit 70 noch Romane schrieb, Verdi mit 80 noch Opern komponierte und Tizian mit 99 noch Bilder malte?
10. Warum lassen Sie zu, daß in unserer Gesellschaft zwar 60% der alten Akademiker, aber nur 27% der alten Arbeiter das Alter für eine schöne Zeit halten können?

XII. Interview

Wählen Sie sich einen Partner, und interviewen Sie ihn. Wenn alle Fragen beantwortet sind, tauschen Sie die Rollen.

1. Wann würden Sie von jemandem sagen, daß er alt ist?
2. Womit beschäftigen sich Ihre Großeltern oder andere alte Leute, die Sie gut kennen (Beruf? Hobbies? Lektüre? Fernsehen?)?
3. Fahren Ihre Großeltern (oder andere alte Leute, die Sie gut kennen) in Urlaub? Warum, warum nicht? Wohin fahren sie? Was machen sie im Urlaub?
4. Leben Ihre Großeltern bei Ihren Eltern? Warum nicht?
5. Welche Probleme gibt es beim Umgang mit alten Leuten?
6. Welche Vorteile hat es, wenn alte Leute bei ihren Kindern und Enkelkindern leben?
7. Welche Argumente sprechen dafür, daß alte Leute alleine wohnen?
8. (Unter welchen Umständen) möchten Sie selbst, wenn Sie alt sind, ins Altersheim gehen?
9. Welche Umstände machen das Leben alter Leute schwer?
10. Wie könnte man die Lage alter Leute verbessern?
11. Wie stellen Sie sich Ihr Leben vor, wenn Sie alt sind?
12. Haben Sie Angst vor dem Alter? Warum, warum nicht?

XIII. Diskussion

Ernennen Sie einen Protokollanten, der in Stichworten den Verlauf ihrer Diskussion festhält und am Schluß die Diskussion mündlich zusammenfaßt.

Diskutieren Sie folgende Aussage: „Der Konsum ist für alte Leute das einzige Mittel, sich selbst und der Umwelt zu zeigen, daß man noch ein unerläßlicher Bestandteil der Gesellschaft ist."

> *(Klären Sie, was mit dem Zitat gemeint ist, zeigen Sie, inwiefern die Aussage berechtigt ist, und diskutieren Sie, wie die Situation der alten Leute geändert werden kann.)*

XIV. Persönliche Stellungnahme

Stellen Sie dar, was Sie als Lehrer behandeln würden, wenn „Leben im Alter" ein Schulfach wäre.

Welt der Arbeit

A. Arbeit als Vergnügen und Beruf als Hobby?

Bis weit in die zweite Hälfte des 19. Jahrhunderts galt überwiegend die 80-Stunden-Woche. Heute ist die 40-Stunden-Woche weitgehend verwirklicht. Die Arbeitszeitverkürzung wird sich vielleicht noch eine Weile fortsetzen. Aber wir machen heute schon die seltsam erscheinende Beobachtung, daß zwar die tarifliche, nicht aber die tatsächliche Arbeitszeit zurückgeht. Das zeigt sich z. B. darin, daß der Anteil der Überstunden an der Gesamtarbeitszeit größer geworden ist und daß die Zahl der Schwarzarbeiter wächst. Anstelle einer Arbeitszeitverkürzung beobachtet man in Wirklichkeit also etwas qualitativ anderes – die freie Wahl der Arbeitszeit. Nun mag es so scheinen, als ob Arbeiten, die die Zusammenarbeit vieler verlangen, z. B. die Fließbandarbeit, die freie Wahl der Arbeitszeit nicht erlauben. Auch hier ist diese Wahl jedoch möglich, wenn man die Arbeit so plant, daß das Fließband ständig besetzt bleibt. Im übrigen treten immer neue Arbeitsformen an die Stelle des alten Fließbandes, und einfache routinemäßige Tätigkeiten werden immer weiter automatisiert.

Hätte man vor 50 Jahren ein junges Mädchen gefragt, ob es lieber arbeiten oder bei gleichem Lohn nichts tun wolle, so hätte diese Frage zynisch geklungen. Heute ist nicht einmal mehr die Antwort gewiß. In manchen Fällen würde das Mädchen die Arbeit vorziehen. Wenn die Arbeitszeit immer weiter verkürzt wird, wird irgendwann die Arbeit zum Bedürfnis. Das „Arbeitsleid", von dem die Wirtschaftstheorie bisher gesprochen hat, verschwindet. Es verschwindet um so schneller, je mehr man es den Menschen ermöglicht, das zu tun, was sie gerne tun und es dann zu tun, wenn sie Lust dazu haben. Es ist durchaus nicht unwahrscheinlich, daß eine Tendenz zur freieren Wahl der Arbeitszeit mit einer Erhöhung der tatsächlichen Arbeitszeit einhergeht. Wenn beispielsweise der Gelehrte, der Journalist oder der Unternehmer länger als 50 oder 60 Stunden pro Woche arbeiten, so liegt es auch daran, daß ihnen die Arbeit Spaß macht, daß Beruf und Hobby hier zusammenfallen.

(Nach: Wolfram Engels, *Soziale Marktwirtschaft*)

I. Wörter und Wendungen

das Hobby, -s	Liebhaberei, Steckenpferd, z. B. Briefmarkensammeln	die Fließbandarbeit, -en	Arbeit an einem laufenden Band, das die Werkstücke von einem Arbeiter zum anderen befördert (z. B. in Autofabriken)
tariflich	durch Vertrag zwischen Arbeitnehmern und Arbeitgebern festgesetzt	automatisieren	Maschinen zur Arbeit verwenden
der Schwarzarbeiter, -	Arbeiter, der, ohne Steuern zu zahlen, arbeitet und Geld verdient (meistens zusätzlich zur regulären Arbeit)	zynisch	gemein, verletzend, spöttisch, frech (ein z. Mensch; z. Bemerkungen machen; jdn. z. behandeln)
etwas qualitativ anderes	etwas von ganz anderer Art (Ggs.: „quantitativ". Es ändert sich quantitativ nichts, weil die Zahl der Arbeitsstunden gleichbleibt; aber qualitativ ändert sich viel, weil man frei bestimmen kann, wann man die Arbeitsstunden leistet.)	das Bedürfnis, -se	Wunsch, Verlangen; Erfordernis
		das „Arbeitsleid"	Qual, Schmerz, Leid, die mit der Arbeit verbunden sind
		die Tendenz, -en	Streben, Hang, Neigung; Entwicklungsrichtung (Die T. des Buchs ist deutlich erkennbar. Er hat eine starke T. zum Sozialismus. Die Preise zeigen eine steigende T.)

II. Falsch oder richtig?

1. *überwiegend* (Zeile 1) bedeutet

   a) in den meisten Fällen
   b) besonders schwer
   c) darüber hinaus

2. *weitgehend* (Zeile 2) bedeutet

   a) zu weit
   b) in hohem Maß
   c) weittragend

3. *eine routinemäßige Tätigkeit*
(Zeile 13) bedeutet

a) Arbeit, die besondere Geschicklich-
   keit erfordert
b) immer wiederkehrende Arbeit, die
   man fast wie ein Automat erledigt

4. *gewiß* (Zeile 17) bedeutet

a) klug
b) deutlich
c) sicher

5. *mit etwas einhergehen* (Zeile 23/24)
bedeutet

a) spazierengehen mit
b) verbunden sein mit
c) übereinstimmen mit

III. Finden Sie für folgende Sätze oder Satzteile Entsprechungen im Text:

1. Arbeit als etwas, was Freude macht.
2. Die 40-Stunden-Woche ist in großem Umfang Realität geworden.
3. Die Arbeitszeit wird vielleicht noch weiter verkürzt werden.
4. Man beobachtet die freie Entscheidung darüber, wann man arbeitet.
5. Tätigkeiten, die das Miteinander erfordern.
6. Arbeiten, die es nicht gestatten, daß die Arbeitszeit frei gewählt wird.
7. falls man die Arbeit so organisiert
8. Man macht es dem Menschen möglich, etwas dann zu tun, wenn er es gerne macht.
9. Das liegt auch daran, daß der Beruf gleichzeitig ihr Hobby und ihr Hobby gleichzeitig ihr Beruf ist.

IV. Bitte erklären Sie.

1. Nennen Sie ein paar *Berufe*.
2. Was heißt *eine Weile*?
3. Was sind *Überstunden*?
4. Was bedeutet, das Fließband *bleibt ständig besetzt*?
5. Was heißt, in manchen Fällen würde das Mädchen die Arbeit *vorziehen*?
6. Was heißt, das Leiden unter der Arbeit *verschwindet*?
7. Nennen Sie einen berühmten *Gelehrten*.
8. Was heißt, die Arbeit macht ihnen *Spaß*?

V. Vervollständigen Sie die Sätze mit eigenen Worten.

1. Bis weit in die zweite Hälfte des 19. Jahrhunderts . . .
2. Anstelle einer Arbeitszeitverkürzung beobachtet man in Wirklichkeit also . . .

3. Nun mag es so scheinen, als ob Arbeiten, die die Zusammenarbeit vieler verlangen . . .
4. Hätte man vor 50 Jahren ein junges Mädchen gefragt, . . ., so hätte diese Frage zynisch geklungen.
5. Wenn die Arbeitszeit immer weiter verkürzt wird . . .
6. Es ist durchaus nicht unwahrscheinlich, daß eine Tendenz zur freieren Wahl der Arbeitszeit . . .

VI. Fragen zum Verständnis

1. An welchen Beispielen kann man sehen, daß nur die tarifliche, nicht aber die tatsächliche Arbeitszeit zurückgeht?
2. Unter welcher Voraussetzung kann man auch bei Fließbandarbeit die Arbeitszeit selbst bestimmen?
3. Warum nimmt die Bedeutung des alten Fließbandes ab?
4. Welche Antwort wird ein Mädchen heute auf die Frage geben, ob es Arbeit und Lohn oder Nichtstun bei gleichem Lohn vorzieht?
5. Wie kann man möglichst schnell erreichen, daß es kein „Arbeitsleid“ mehr gibt?
6. Warum arbeiten manche Leute, wie z. B. Gelehrte, länger als 50 oder 60 Stunden pro Woche?

VII. Wiedergabeübungen

1. Vervollständigen Sie den Text.

1. Bis weit in d. . . zweit. . . Hälfte d. . . 19. Jahrhundert. . . galt überwiegend d. . . 80-Stunden-Woche. 2. Heute ist d. . . 40-Stunden-Woche weitgehend verwirklich. . . 3. D. . . Arbeitszeitverkürzung w. . . sich vielleicht noch ein. . . Weile fortsetzen. 4. Aber wir mach. . . heute schon d. . . seltsam erscheinend. . . Beobachtung, daß zwar d. . . tariflich. . ., nicht aber d. . . tatsächlich. . . Arbeitszeit zurückgeht. 5. D. . . zeig. . . sich z. B. darin, daß d. . . Anteil d. . . Überstund. . . an d. . . Gesamtarbeitszeit größ. . . gew. . . ist und daß d. . . Zahl d. . . Schwarzarbeiter wächs. . . 6. Anstelle einer . . . beobachtet man in Werklichkeit also etwas . . . anderes – die freie . . . der Arbeitszeit. 7. Nun mag es so scheinen, als ob Arbeiten, die die Zusammenarbeit vieler . . ., z. B. die . . ., die freie Wahl der Arbeitszeit nicht . . . 8. Auch hier ist diese Wahl jedoch möglich, . . . man die Arbeit so plant, daß das Fließband ständig . . . bleibt. 9. Im übrigen treten immer neue Arbeitsformen . . . . des alten Fließbandes, und einfache . . . Tätigkeiten werden immer weiter . . .

2. Geben Sie den Rest des Textes mit Ihren eigenen Worten wieder: Die folgenden Stichwörter sind als Hilfe gedacht:

Frage vor 50 Jahren / Antwort heute / Arbeit wird zum Bedürfnis / „Arbeitsleid" /
um so schneller / nicht unwahrscheinlich: Erhöhung der tatsächlichen Arbeitszeit /
der Gelehrte, der Journalist, der Unternehmer.

VIII. Fragen zur Weiterführung des Themas

1. Welche Schlüsse werden im Text aus der wachsenden Zahl von Überstunden und
   Schwarzarbeitern gezogen?
2. Welche anderen Gründe könnten zu mehr Überstunden und mehr Schwarzarbeit
   führen?
3. Wie sehen die neuen Arbeitsformen, die an die Stelle des alten Fließbandes
   treten, aus?
4. Welches sind die positiven Seiten der Tatsache, daß einfache routinemäßige
   Tätigkeiten immer weiter automatisiert werden?
5. Gehen mit dieser Automatisierung auch negative Folgen einher? Welche?
6. Glauben Sie, daß die Frage an das junge Mädchen heute nicht mehr zynisch
   ist? Warum, warum nicht?
7. Mit welchen Schwierigkeiten rechnen Sie, wenn jeder die Wahl der Arbeit und
   der Arbeitszeit bekommen soll?
8. Gibt es außer dem Spaß an der Arbeit andere Gründe für Gelehrte, Journalisten
   und Unternehmer, lange zu arbeiten? Welche?

IX. Legen Sie zwei Listen nach folgenden Mustern an

*Tragen Sie die Sätze des Texts „Arbeit als Vergnügen . . ." ein. Sätze, die weder in
Liste 1 noch in Liste 2 passen, stellen Sie bitte gesondert zusammen.*

1. Liste

1. Stellungsglied	2. Stellungsglied	Rest des Hauptsatzes
(u. a. adverbialer Ausdruck, Subjekt/Objekt; manche Konjunktionen; Nebensätze)	(flektiertes Verb)	
Bis weit in die . . . des 19. Jahrhunderts	galt	überwiegend die . . .
Heute	ist	die 40-Stunden-Woche . . .
Die Arbeitszeitverkürzung	wird	sich vielleicht

2. Liste

1. Stellungsglied	Andere Stellungsglieder des Nebensatzes	Letztes Stellungsglied
(Konjunktionen, die Nebensatz einleiten)		(flektiertes Verb)
, daß	zwar die tarifliche, nicht aber ...	zurückgeht.
, daß	der Anteil der Überstunden ...	geworden ist.
und daß	die Zahl der Schwarzarbeiter	wächst.

Die Straßenarbeiter kommen zum Vorarbeiter: „Wir brauchen ein paar neue Schaufeln." Sagt der Vorarbeiter: „Wenn ihr nicht genug Schaufeln habt, lehnt euch gefälligst aneinander."

Ein Angestellter erscheint zwei Tage nicht im Büro. Als er am dritten Tag wieder kommt, knurrt ihn der Chef an: „Wo haben Sie sich denn die ganze Zeit rumgetrieben?" „Ich bin aus dem Fenster meiner Wohnung vom dritten Stock auf die Straße gefallen." „Und dazu haben Sie zwei Tage gebraucht?"

Der Stift fragt den Polier: „Was für Werkzeug brauchen wir heute?" Der Polier überlegt und sagt: „Acht Leute sind wir. Dann bring mal sechs Flaschen Bier und zwei Kellen."

B. Günter Wallraff: Industriereportagen

I. Wörter und Wendungen

das Plättchen, -	hier: kleines, flaches Metallstück	durchhalten	aushalten; eine Belastung ertragen
befeilen	mit einer Feile glatt machen	die Einstellung, -en	das In-den-Dienst-Nehmen von Arbeitskräften
der Akkord	festgelegte Arbeitsmenge, nach der ein Arbeiter bezahlt wird		

die Meßgeräte-fertigung	Abteilung einer Fabrik, in der Geräte zum Messen hergestellt werden	sich etwas zu Herzen nehmen	sich etwas merken und danach handeln
die Peilvorrich-tung, -en	Gerät, das die Richtung von etwas bestimmt (z. B. eines Feindes im Krieg, einer Rakete, damit sie ihr Ziel erreicht)	die Zeitkon-trollmarke, -n	Marke, mit der die Arbeitszeit kontrolliert wird
		der Kalkulator, -en	jemand, der kontrolliert, wie lange für eine Arbeit gebraucht wird und danach das Arbeitspensum festsetzt
seriös	anständig, würdig		
der Angestellte, -n	jemand, der für ein Gehalt (meistens geistig) arbeitet	herausschinden	etwas gewinnen (meistens unter Schwierigkeiten, z. B. gegen einen Widerstand oder mit Gewalt)
der Kittel, -	leichter Arbeitsmantel, z. B. eines Arztes, Malers		
die Berufsge-nossenschaft, -en	öffentliche Unfallversicherung	aufschnappen	zufällig hören

II. Beantworten Sie folgende Fragen:

1. Wo befindet sich der Erzähler der Geschichte, und was macht er?
2. Was hält er von seiner Arbeit?
3. Was berichtet er über das Wohnungsproblem?
4. Was hat der Erzähler am Anfang des ersten Arbeitstages bekommen, und was hat man ihm dabei gesagt?
5. Wie ist der Kontakt mit den anderen Arbeitern?
6. Was sagt der Italiener?
7. Was sagt der Arbeiter, der die Worte des Italieners gehört hat?

III. Textklärung

1. Wie kann man noch sagen für *an die 300 Plättchen* habe ich schon befeilt?
2. Was ist mit dem Satz gemeint *500 warten noch darauf*?
3. Vervollständigen Sie den Satz *immer rundherum*.
4. Was heißt, man muß *aufpassen* dabei?
5. Nennen Sie ein anderes Wort für *simpel*.

6. Wann ist eine Arbeit *sinnlos*?
7. Was ist ein *Junggesellenheim*?
8. Was heißt, ich fuhr sofort hin, um es *festzumachen*?
9. Beschreiben Sie ausführlicher, was der Erzähler mit *rumdrehen, so, paßt* ausdrückt.
11. Was macht man, wenn man etwas *unterschreibt*?
12. Der Satz *nur ja uffjepaßt ... an de Maschinen* ist Mundart. Wie heißt dieser Satz auf hochdeutsch?
13. Was heißt *Notiz nehmen von etwas*?
14. Geben Sie eine hochsprachliche Version der Sätze des Italieners.
15. Was sagen Sie, wenn Sie etwas *bestätigen*?
16. Welche Arbeitnehmer bekommen *Lohn,* welche bekommen *Gehalt*?
17. Welche Aufgaben hat eine *Werksleitung*?

IV. Was erzählt der „Arbeiter" wirklich? Bitte verbessern Sie folgende Sätze:

1. Ich befeile jedes Plättchen nur einmal.
2. Es ist gut, wenn man bei der Arbeit ein bißchen träumt.
3. Man kann die Arbeit stundenlang durchhalten.
4. Man hat mir bei der Einstellung gesagt, daß ich auf keinen Fall in die „Meßgerätefertigung" komme.
5. Ich bin froh, daß die simplen Plättchen nicht Teilstücke von Kanonen oder Atomgeschützen sind.
6. Die Arbeit erscheint mir sinnvoll, weil ich weiß, wie das fertige ganze Stück aussieht.
7. Die Firma vermittelt Zimmer normalerweise nur an Hilfskräfte.
8. Die Hilfskräfte wohnen deshalb in schönen Zimmern.
9. Die Vermieterin vermittelt besonders gern an Ausländer.
10. Ein Oberingenieur hat nicht lange bei ihr gewohnt.
11. Ich habe gesagt, daß ich Arbeiter bin, und habe das Zimmer mit fließend warmem und kaltem Wasser gleich bekommen.

V. Bitte vervollständigen Sie sinngemäß.

1. Zum Glück ist mein erster Arbeitstag ...
2. Man hat mir einen blauen Kittel und eine Kiste voll Werkzeug ...
3. ... vor Unfällen gewarnt.
4. ... mir zu Herzen.
5. Ich entdecke einige Arbeiter, die ...

6. Die Arbeiter an den Maschinen . . .
7. Ich glaube, . . . daß ich neu bin.
8. . . ., der auch an Plättchen herumfeilt, hat Notiz von mir genommen.
9. Hastig hat er mir die Worte an den Kopf geschmissen, ohne . . .
10. Den Italiener interessiert, ob ich . . .
11. Wenn der Kalkulator kommt, soll ich . . .
12. Ein Arbeiter, der . . ., bestätigt es und fügt hinzu: „. . ., um die Löhne anzu-gleichen. Ist das erreicht, . . .“

VI. Fragen zum Verständnis

1. Worin liegen nach den Aussagen des ersten Abschnitts die besonderen Schwie-rigkeiten der Arbeit?
2. Welche Einwände gegen die Arbeit werden im zweiten Abschnitt deutlich?
3. Welche Wohnprobleme bestehen bei der Firma für „Hilfskräfte“?
4. Wie schafft es der Erzähler der Geschichte, daß die Zimmervermittlungsstelle der Firma ihm eine Anschrift nennt?
5. Welche Schwierigkeiten gibt es bei der Vermieterin?
6. Welche Vorstellung vom Arbeiter läßt die Vermieterin erkennen, wenn sie sagt, sie hätte bisher nur an ‚seriöse‘ Herren vermietet?
7. Wofür mußte der Erzähler unterschreiben?
8. Ist die Arbeit ungefährlich? Warum, warum nicht?
9. Nennen Sie mindestens einen Grund, warum die anderen Arbeiter während der Arbeit kaum (oder keine) Notiz von dem Erzähler der Geschichte nehmen.
10. Wie begründet der Italiener, daß man dem Erzähler noch keine Zeitkontroll-marke gegeben hat?
11. Warum berichtet der Italiener dem Erzähler: „Für dieselbe Arbeit früher 20 Minuten, heute 9 Minuten Zeit“?
12. Warum soll der Erzähler der Geschichte langsam arbeiten, wenn der Kalkulator kommt?
13. Wie steigert die Werksleitung trotz Lohnerhöhungen u. U. noch ihren Gewinn?

VII. Sprechen Sie dem „Arbeiter“ nach. ෆ

VIII. Wiedergabeübungen

1. Setzen Sie passende Wörter ein.

1. . . . . . . 300 Plättchen habe ich schon befeilt. 2. 500 . . . noch darauf. Immer rundherum. 3. Diese Arbeit verführt . . . Nachdenken oder Träumen. 4. Aber dann

ist es ... der Arbeit aus und ... dem Akkord wird nichts. 5. Ich befehle ... Plättchen schon zum drittenmal. 6. Man ... aufpassen dabei. 7. Aber ... kann man nur für kurze Zeit durchhalten. 8. Dann läßt die Konzentration ganz von ... wieder nach.

9. Man hat mir bei der ... gesagt, daß ich in die ... komme. 10. Wer garantiert ..., daß diese simplen Plättchen nicht am Ende noch Teilstücke, zum Beispiel für ... an Kanonen oder Atomgeschützen, sind? 11. Die Arbeit erscheint mir fremd und ..., ... ich das fertige „ganze Stück" nicht kenne.

2. Geben Sie den Text mit eigenen Worten wieder. Dabei sollen folgende Fragen beantwortet werden:

a) Welche Arbeit muß „der Arbeiter" ausführen, worin sieht er ihre Schwierigkeit, und was hält er von der Arbeit?
b) Wie löst die Firma die Wohnungsprobleme ihrer Arbeiter?
c) Welche Schwierigkeiten gibt es bei der Vermieterin?
d) Wie wird der Erzähler für die Arbeit in der Fabrik ausgestattet?
e) Was wird über Unfälle in der Fabrik deutlich?
f) Wie reagieren die anderen Arbeiter auf den neuen „Arbeiter"?
g) Was erfährt der Erzähler von dem Italiener hinsichtlich der Zeitkontrollmarke? Wie gefällt es dem Italiener? Was sagt er über den Kalkulator, und was rät er, wenn der Kalkulator kommt?
h) Wie ist die Reaktion des Arbeiters, der die Worte des Italieners gehört hat?

IX. Transkript

Bitte hören Sie sich die „Industriereportage" noch einmal an. Nach jedem Satz oder nach einem Teil des Satzes schreiben Sie auf, was sie gehört haben.

X. Stellungnahme zum Text

1. Der Erzähler möchte keine „Teilstücke" machen, die für Kanonen etc. verwendet werden. Nennen Sie andere Berufe und Industrien, die Kriegsgerät herstellen. Wie ist Ihre Einstellung zu solchen Berufen und Industrien?
2. Wie glauben Sie wird die Fabrik ihre Wohnungspolitik rechtfertigen, und was würden Sie auf die Rechtfertigung entgegnen?
3. Die Vermieterin hat Vorurteile gegen Ausländer und Arbeiter. Was glauben Sie sind die Gründe dafür?
4. Was wird an dem Verfahren bei der Zuteilung des blauen Kittels deutlich?
5. Was wird an der Art der Begründung, mit der vor Unfällen gewarnt wird, deutlich?

6. Was ist die Funktion eines Kalkulators für Akkordarbeit? Was halten Sie davon?
7. Kommentieren Sie den Zusammenhang zwischen Preisen und Löhnen, den der Arbeiter am Schluß des Textes herstellt.
8. Was sind nach diesem Text die Kennzeichen der Fabrikarbeit?
9. Sind Ihrer Meinung nach die Erfahrungen und Beobachtungen des Erzählers auch für andere Fabriken und andere Arbeitsplätze gültig? (Begründen Sie Ihre Antwort, wenn möglich, mit Erfahrungen, die Sie selbst bei der Arbeit in Fabriken, am Bau etc. gemacht haben.)

„Der sucht 'ne Sekretärin unter fünfundzwanzig mit dreißigjähriger Berufserfahrung"

XI. Jedes Ding hat zwei Seiten

Wählen Sie sich einen Partner. Sie gehen von den Argumenten auf der linken Seite aus, Ihr Partner von denen auf der rechten. (Illustrieren Sie die Argumente nach Möglichkeit durch Beispiele, und finden Sie, wenn möglich, weitere Argumente.) Bevor Sie anfangen, lesen Sie bitte erst die Wendungen in der Mitte.

Thema: „Der böse Boß"		
Unternehmer lebt von Arbeit anderer	Ich finde, die Aussage ist im Kern uneingeschränkt richtig, denn . . .	Unternehmer gibt Arbeiter Arbeit und Lohn
Schlechte Bezahlung. Riesengewinne für Unternehmer	Sie müssen aber auch die Kehrseite der Medaille sehen.	Große Verantwortung, langes Studium, Ausbildung
Nur eigenes Interesse. Steuerhinterziehung. Bestechung von Politikern.	Vollkommen richtig. Aber wie sieht das denn im Detail aus?	Investition im öffentlichen Interesse; Spender, Preise (Nobel), finanziert Forschung

Keine Mitbestimmung für Arbeiter	So pauschal trifft das sicherlich nicht zu. Und im übrigen sollten Sie bedenken, ...	Unqualifiziert für Mitbestimmung
Kalkulator, Zeitkontrollmarke unmenschlich, Streß		Gerechtigkeit, wirtschaftlich nötig, Arbeitspausen, Urlaub
Fließbandarbeit langweilig, kein Denken, sinnlos	Obwohl mich das keineswegs überzeugt, möchte ich auf diesem Punkt nicht weiter herumreiten und statt dessen an ein paar andere Tatsachen erinnern.	Ökonomisch notwendig wegen Wettbewerb. Neu: Rotationssystem bzw. Gruppenarbeit z. B. in der Autoindustrie
Keine Aufstiegschancen für Arbeiter, kaum Stipendien, keine Förderung in Kindheit, Unwissenheit	Das mag in Ausnahmefällen zutreffen, im allgemeinen aber ...	Chancengleichheit. Abendkurse. Schulen kostenlos. Geld sparen für Studium.
Slums, Arbeitslosigkeit	Dem sehr rosigen Bild, das Sie da entwerfen, steht auf der anderen Seite gegenüber ... Wie könnte das auch anders sein? Schließlich ...	Existenzminimum durch Sozialhilfe gesichert. Arbeiter eigenes Auto, Fernsehen; Reisen

XII. Rollenspiel

Eine Gruppe von Studenten hat einen Unternehmer, einen Gewerkschaftler und einen Vorarbeiter zu einem Diskussionsabend eingeladen. Die Studenten stellen den drei Gästen Fragen. Spielen Sie diese Situation.

Hier sind die Fragen:

1. Was halten Sie davon, in Zukunft die dreckigste, lauteste und körperlich anstrengendste Arbeit am besten zu bezahlen?
2. Wie stehen Sie zur Verstaatlichung privaten Eigentums?
3. Glauben Sie, daß Kalkulatoren notwendig sind?
4. Sollte es mehr Mitbestimmung der Arbeiter geben?
5. Was halten Sie von Spenden der Unternehmer an Wissenschaft, Kunst und politische Parteien?

6. Ist es nicht höchste Zeit, das Fließband durch das Rotationssystem oder Gruppenarbeit menschlicher zu machen oder es am besten ganz abzuschaffen?
7. Halten Sie die Bezahlung der Arbeiter für gerecht?
8. Sind Ihrer Meinung nach Gewerkschaften eigentlich nötig?
9. Sind heutzutage Streiks noch notwendig?
10. Halten Sie Aufstiegschancen für Arbeiter für wichtig, und wie könnte ein solcher Aufstieg planmäßig gefördert werden?

XIII. Interview

Wählen Sie sich einen Partner und interviewen Sie ihn. Wenn alle Fragen beantwortet sind, tauschen Sie die Rollen.

1. Welche Aspekte der Fabrikarbeit scheinen Ihnen am schlimmsten?
2. Vergleichen Sie die Situation eines Arbeiters, Handwerkers, Geschäftsmannes und eines Lehrers (Art der Arbeit, Arbeitszeit, Bezahlung, soziale Stellung).
3. Glauben Sie, daß Fließbandarbeit in der Industriegesellschaft nötig ist? Warum?
4. Am häufigsten fordern Arbeiter Lohnerhöhungen. Was könnten sie noch fordern (Wohnung, Krankheit, Urlaub, Arbeitsbedingungen, Rentenalter etc.)?
5. Lektüre guter Bücher, Theaterbesuch, Kinobesuch, fernsehen, Sport treiben, reisen, ins Gasthaus gehen – welche dieser Beschäftigungen findet man beim Arbeiter sehr häufig (selten)? Warum?
6. Generalstreik, Warnstreik, wilder Streik, Dienst nach Vorschrift – welche Situationen führen zu diesen verschiedenen Formen der Arbeitsniederlegung? Wann scheint Ihnen die Arbeitsniederlegung gerechtfertigt? Was kann man zur Lösung von Arbeitskonflikten tun?

XIV. Diskussion

Ernennen Sie einen Protokollanten, der in Stichworten den Verlauf ihrer Diskussion festhält und am Schluß die Diskussion mündlich zusammenfaßt.

Diskutieren Sie folgende Frage: Welche Aspekte des modernen Arbeitslebens scheinen Ihnen verbesserungsbedürftig (Leben in der Fabrik, Streiks, Löhne-Preise etc.)? Warum? Machen Sie Verbesserungsvorschläge.

„Unser Elektronengehirn war kaputt,
da mußten wir den ganzen Tag selber denken"

XV. Persönliche Stellungnahme

Welchen Beruf möchten Sie einmal ergreifen (oder: Welchen Beruf finden Sie ideal)? Nennen Sie Ihre Gründe, und stellen Sie dar, welche Gründe Ihnen sehr wichtig (weniger wichtig) erscheinen.

Anregungen:

Soziale Stellung, Arbeitszeit, moralische, finanzielle, familiäre Gründe, Gesellschaft verändern, anderen Menschen helfen, forschen, Spaß, Vergnügen.

Kunst in der heutigen Gesellschaft

A. Moderne Kunst

1 Das Kunstwerk ist Äußerung eines einzelnen, Kunst aber ist Äußerung der Gesell-
2 schaft und der Epoche, in der sie entstand. Und wie der einzelne, so unterliegt auch
3 die Epoche den Gesetzen der Entwicklung. „Moderne" Kunst soll hier nichts ande-
4 res bedeuten als Kunst jener Epoche, in der wir selber leben. Sie ist die Äußerungs-
5 form unserer eigenen Kultur, unsere eigene Äußerungsform also, sofern wir uns als
6 Repräsentanten unserer Epoche fühlen.

In der Art von Vincent van Gogh malt der Brite Malcolm Morley die Unglücksfälle von
heute

7 Es läßt sich nun aber nicht leugnen – und dies scheint ein Widerspruch zu dem
8 eben Gesagten –, daß die meisten unserer Zeitgenossen es ablehnen würden, die
9 Werke der Avantgarde als die Sprache anzuerkennen, die ihrem eigenen Äuße-
10 rungswillen entspricht. Diese Ablehnung gilt für alle Werke der Avantgarde, sei es
11 die Plastik oder Malerei der Abstrakten, die Musik der Zwölftonmeister oder die
12 Poesie der Surrealisten. Moderne Kunst ist ebenso unpopulär wie die populäre
13 Kunst unmodern ist. Es ist jedoch nur ein scheinbarer Widerspruch. Zwar steht die
14 große Masse zunächst befremdet vor den zeitgenössischen Schöpfungen, schüttelt
15 den Kopf und ruft nicht selten nach dem Psychiater. Und würde man den Künstler
16 selbst um eine Interpretation seines unverständlichen Werkes bitten, so wäre man
17 am Ende seiner wortreichen Erklärungen kaum klüger. Außerdem sind es nicht
18 immer die besten Künstler, die klug über ihre Werke sprechen können. Aber nun
19 geschieht etwas Eigenartiges: ein paar Jahre ziehen ins Land, neue Strömungen,
20 Moden, Versuche, Lösungen sind aufeinander gefolgt, und eines Tages erscheint das
21 vor kurzem noch so unverständliche, bizarre, ja verrückte Werk als recht klar und
22 verständlich und hebt sich wohltuend, beinahe klassisch, von den neuen unerträg-
23 lichen und unverständlichen Werken der aktuellen Gegenwart ab. So ist es noch mit
24 allen Richtungen der modernen Kunst gegangen, die in den letzten 70 bis 80 Jahren
25 über uns hingegangen sind.

(Nach: K. Conrad, *Das vierte Zeitalter und die moderne Kunst*)

I. Wörter und Wendungen

die Äußerung, -en	Ausdruck, Aussage	der Zwölfton- meister, -	Meister der atonalen Musik (= Musik, die die 12 Töne der Ton- leiter gleichberechtigt nebeneinander ver- wendet ohne Bezug auf einen Grundton)
die Epoche, -n	größerer historischer Zeitabschnitt		
sofern	vorausgesetzt, daß; falls, wenn		
der Repräsen- tant, -en	Vertreter	der Surrealist, -en	Vertreter einer Kunst- richtung, die das Überwirkliche und Traumhafte mit der Realität verbindet (Anfang des 20. Jh.)
der Zeitgenos- se, -n	Mitmensch, gleichzei- tig Lebender		
die Avantgarde	Vorkämpfer einer Idee oder Richtung		
		befremdet	erstaunt, verwundert; unangenehm berührt

108

die Schöpfung, -en	etwas, was ein schöpferischer Mensch geschaffen hat	wohltuend	angenehm, erfreulich
bizarr	seltsam, ungewöhnlich, verschroben	noch	bisher, bis jetzt, bis zum heutigen Tag (Das wußte ich noch nicht. Du bist noch zu klein.)

II. Falsch oder richtig?

1. *unterliegen* (Zeile 2) bedeutet
   a) unter etwas liegen
   b) nicht gehorchen
   c) betroffen, beeinflußt werden

2. *leugnen* (Zeile 7) bedeutet
   a) übersehen, nicht beachten
   b) abstreiten
   c) die Wahrheit sagen

3. *populär* (Zeile 12) bedeutet
   a) heimatlich
   b) beim Volk beliebt
   c) nicht ausländisch

4. *die Strömung* (Zeile 19) bedeutet
   a) der Fluß
   b) geistige Bewegung
   c) modernes Kunstwerk

5. *klassisch* (Zeile 22) bedeutet
   a) wie ein Werk der Klassik; vorbildlich, maßvoll
   b) zu einer Gruppe, Klasse gehörend
   c) freundlich, hell

6. *aktuell* (Zeile 23) bedeutet
   a) heftig, scharf
   b) tagespolitisch
   c) im augenblicklichen Interesse liegend; unmittelbar zeitnah

III. Finden Sie für folgende Sätze oder Satzteile Entsprechungen im Text:

1. Die moderne Kunst ist Ausdruck unserer heutigen Kultur. Daher ist sie unsere eigene Ausdrucksform, vorausgesetzt, daß wir uns als Vertreter unseres Zeitalters fühlen.
2. Dies sieht wie ein Gegensatz zu dem aus, was gerade gesagt wurde.
3. Es ist in Wirklichkeit gar kein Widerspruch, sondern sieht nur so aus.

4. Zwar betrachtet die große Mehrheit des Volkes die Kunstwerke unserer Zeit mit Erstaunen und Ablehnung ...
5. Man ruft recht oft nach einem Arzt für Geistes- und Gemütskrankheiten.
6. Würde der Künstler um eine Erklärung und Deutung gebeten ...
7. Nun ereignet sich etwas Merkwürdiges.
8. Das war so mit allen Strömungen der modernen Kunst, die in diesem Jahrhundert an uns vorbeigezogen sind.

IV. Bitte erklären Sie.

1. Nennen Sie ein anderes Wort für *Zeitalter*.
2. Was sagen Sie, wenn Sie etwas *ablehnen*?
3. Wo findet man z. B. *Plastiken*?
4. Was macht jemand, der *Poesie* schreibt?
5. Was heißt, *ein paar Jahre ziehen ins Land*?
6. Was ist heutzutage z. B. alles *Mode*?
7. Geben Sie ein Beispiel für etwas, was Sie *unerträglich* finden.

V. Vervollständigen Sie die Sätze mit Ihren eigenen Worten.

1. Ein Kunstwerk ist ...
2. Der einzelne Mensch ändert sich, und genauso ...
3. Weil die moderne Kunst die Äußerungsform unserer heutigen Kultur ist, ist sie auch unsere eigene Äußerungsform, unter der Voraussetzung, daß ...
4. Die meisten unserer Zeitgenossen lehnen ... ab.
5. Auch wenn der Künstler selbst seine Werke interpretiert, ...
6. Es sind nicht immer die besten Künstler, die ...
7. Neue Kunstrichtungen folgen aufeinander, und eines Tages ...
8. So ist es noch mit allen Strömungen der modernen Kunst gewesen, die ...

VI. Fragen zum Verständnis

1. Was gilt für den einzelnen Menschen in gleicher Weise wie für eine Epoche?
2. Warum kann man sagen, daß die moderne Kunst unsere eigene Ausdrucksform ist?
3. Warum ist es auf den ersten Blick gesehen ein Widerspruch, daß die moderne Kunst unpopulär ist?
4. Wie löst sich dieser Widerspruch auf?
5. Warum helfen uns häufig die Erklärungen der Künstler selbst nicht weiter?

VII. Wiedergabeübungen

1. Vervollständigen Sie den Text.

1. D... Kunstwerk ist Äußerung ein... einzeln..., Kunst aber ist Äußerung d...
Gesellschaft und d... Epoche, in d... sie ent... 2. Und wie d... einzeln...,
so unterlieg... auch d... Epoche d... Gesetz... d... Entwicklung. 3. „Modern..."
Kunst soll hier nichts ander... bedeut... als Kunst jen... Epoche, in d... wir
selb... leb... 4. Sie ist d... Äußerungsform unser... eigen... Kultur, unser...
eigen... Äußerungsform also, sofern wir ... als Repräsentant... unser... Epoche
fühl...
5. Es läßt sich nun aber nicht ... – und dies scheint ein ... zu dem eben..., daß
die meisten unserer ... es ... würden, die Werke der Avantgarde als die Sprache
..., die ihrem Äußerungswillen entspricht. 6. Diese Ablehnung ... für alle Werke
der Avantgarde, sei es die Plastik oder Malerei der ..., die Musik der Zwölftonmeister oder die ... der Surrealisten. 7. Moderne Kunst ist ebenso ... wie die populäre Kunst ... ist.

*2. Geben Sie den Text mit Ihren eigenen Worten wieder. Dabei sollten mindestens
folgende Fragen beantwortet werden:*

Was ist ein Kunstwerk, was ist Kunst, was ist moderne Kunst? Wie reagieren die
meisten unserer Zeitgenossen? Warum erweist sich die Reaktion der Mehrheit nur
als ein scheinbarer Widerspruch?

VIII. Fragen zur Weiterführung des Themas

1. Kann ein Stuhl, eine Uhr, ein Radio etc. ein Kunstwerk sein?
2. Der einzelne Mensch und die Zeit, in der er lebt, ändern sich. Nennen Sie ein
   paar Faktoren, die zu solchen Veränderungen führen.
3. Ist die Malerei der Abstrakten, die Musik der Zwölftonmeister, die Poesie der
   Surrealisten Äußerung unserer Zeit? Begründen Sie Ihre Meinung.

„Lohengrin" im Fernsehen

Klein Erna is mit'n Studienrat verheiratet. Eines Tages kommt ihre Mamma zu Besuch. Abends sitzt die ganze Familie vor'm Fernsehen. Um 8 Uhr
beginnt „Lohengrin". Mamma holt ihr'n Strickstrumpf raus und fängt an
zu stricken. „Aber Mamma", sagt Erna, „dabei kanns du stricken?" „Och",
sagt Mamma, „das büschen Musik da stört mich gaanich!"

B. Protokoll der Literaturstunde vom 8. 3. 1977

I. Wörter und Wendungen

geringfügig	unbedeutend, nicht ins Gewicht fallend	Zugang zur Kunst	Verständnis (Liebe) für Kunst
stilistisch	den Stil, die Ausdrucksweise betreffend	schärfen	üben, stärken, verbessern
einengen	begrenzen, beschränken (Den Begriff „Demokratie" e. Die Regierung e. die Pressefreiheit ein.)	einwenden	einen Einwand erheben, widersprechen
		die Einstellung, -en	Haltung, Gesinnung (Er hat eine kritische E. zum Kommunismus)
überflüssig	unnötig, entbehrlich		
das Gemälde, -	gemaltes Bild	die Verhaltensweise, -n	Verhalten, Benehmen, Handeln

II. Beantworten Sie folgende Fragen:

1. Wovon ist in dem Protokoll die Rede?
2. Woher weiß man, daß das Protokoll der letzten Stunde ein gutes Protokoll war?
3. Worüber wurde am Anfang diskutiert?
4. Welche Antwort wurde auf die Frage gegeben, was ein Künstler der Gesellschaft geben könne?
5. Mit welchen Argumenten wurde bezweifelt, daß der Künstler dem Menschen wirklich etwas zu geben hat?
6. Was wurde am Schluß der Stunde gemacht?

III. Textklärung

1. Nennen Sie ein anderes Wort für *verlesen*.
2. Was sagen Sie, wenn Sie etwas *billigen*?
3. Erklären Sie, was ein *Zitat* ist.
4. Machen Sie einen Hauptsatz aus *Ausgehend von einem Zitat Maos*.
5. Nennen Sie ein anderes Wort für *Standpunkt*.
6. Nennen Sie eine andere Wendung für *Dem wurde entgegengehalten*.
7. Was bedeutet der Satz *Die Antwort wurde in Frage gestellt*?
8. Was gehört Ihrer Meinung nach zu *Gesellschaftserkenntnis*?

IV. Wie heißt es im Protokoll wirklich? Verbessern Sie folgende Sätze:

1. Nach wesentlichen Veränderungen wurde das Protokoll der letzten Stunde gebilligt.
2. Das Generalthema „Die Rolle des Künstlers in unserer Zeit" wurde eingeengt.
3. Wir gingen von einem Zitat Goethes aus.
4. Nach diesem Zitat ist die Kunst immer sinnvoll, gleichgültig ob sie für viele oder wenige Leute einen Nutzen hat.
5. Der simple Stil und die einfache Darstellungsweise der Dichter, die realistischen Gemälde und die klassische Musik sind nur für wenige Leute verständlich.
6. Die Gesellschaft ermöglicht durch das Erziehungssystem jedem Menschen den Zugang zur Kunst.

V. Bitte vervollständigen Sie sinngemäß.

1. Es wurde gefragt, was denn der Künstler der Gesellschaft zu geben habe, wenn das Erziehungssystem . . .
2. Die Antwort darauf lautete, der Künstler könne . . .
3. Es wurde eingewendet, es . . ., über die Kunst zu mehr Selbsterkenntnis und Gesellschaftserkenntnis zu kommen.
4. Wissenschaftliche Untersuchungen seien bis zu einem gewissen Grad objektiv wahr gegenüber . . .
5. . . . stelle sich die Frage, ob z. B. Urlaub und gutes Essen nicht größere Freude bereiten.
6. Es sei zu bezweifeln, daß Künstler, die zu einer kritischen Einstellung erziehen wollen, überhaupt . . .
7. An dieser Stelle wurde beschlossen, . . ., die bis zur nächsten Stunde Beispiele dafür sammeln soll, daß Künstler . . .

VI. Fragen zum Verständnis

1. Inwiefern wird das Generalthema verändert?
2. Wie wird der Standpunkt gerechtfertigt, daß Künstler überflüssig seien?
3. Welche Art von Reformen könnten notwendig sein, um den Künstlern eine Funktion in der Gesellschaft zu geben?
4. Inwiefern scheint die Tatsache, daß wissenschaftliche Untersuchungen objektiv wahr sind, ein Argument gegen das Werk von Künstlern?
5. Wie wird der Zweifel begründet, daß Künstler überhaupt Genuß bereiten können?
6. Warum wurde beschlossen, eine Arbeitsgruppe zu bilden?

VII. Wiederholen Sie, was der Protokollant sagt. ᕦᕤ

VIII. Wiedergabeübungen

1. Setzen Sie passende Wörter ein.

1. Die Antwort auf ... Frage nach der ... des Künstlers in der Gesellschaft lautete, der ... könne durch sein Werk einmal ... und Gesellschaftserkenntnis ...,
zum anderen könne er mit seinem Werk Freude, Vergnügen und Genuß ... 2. Beide Antworten wurden in Frage ... 3. Es wurde eingewendet, ... sei ein Umweg
über die Kunst ... besserer Selbsterkenntnis und Gesellschaftserkenntnis zu ...;
wissenschaftliche ... z. B. führten direkter und schneller zum ..., und sie seien
bis ... einem gewissen ... objektiv wahr gegenüber der subjektiven ... eines einzelnen ... 4. Was andererseits Freude und Genuß ..., stelle sich erstens die ...,
ob z. B. Urlaub und gutes Essen nicht größere ... bereiteten. 5. ... sei zu bezweifeln, daß Künstler, die zu ... kritischen Einstellung gegenüber ... und Zustän-
den ... wollen, überhaupt ... bereiten könnten. 6. Es sei vielmehr zu ..., daß die
Aussagen ihres Werkes schmerzten, ... und unzufrieden machten.

*2. Fassen Sie das Protokoll mit eigenen Worten zusammen. Die folgenden Stich-
wörter sind als Hilfe gedacht:*

a) Anfang der Stunde
b) Einengung des Themas
c) Zitat Maos. Folgerung: Künstler überflüssig
d) Nicht Künstler schuld, sondern Gesellschaft
e) Funktion des Künstlers nach Veränderung des Erziehungssystems
f) Aber: Kunst ein Umweg; andere Dinge machen mehr Freude; Kunst beunruhigt
g) Bildung einer Arbeitsgruppe

IX. Transkript

*Bitte hören Sie sich das Protokoll noch einmal an. Nach jedem Satz oder nach einem
Teil des Satzes schreiben Sie auf, was Sie gehört haben.*

X. Auch das muß sein.

1. Suchen Sie aus dem Protokoll der Literaturstunde die Stellen heraus, an denen
   indirekte Rede verwendet wird, und lesen Sie sie vor.
2. Warum verwendet der Protokollant die indirekte Rede?
3. Schreiben Sie alle Veränderungen heraus, die die indirekte Rede von der direkten
   Rede unterscheiden.

114

4. Wandeln Sie den Text von K. Conrad in die indirekte Rede um. Fangen Sie so an: K. Conrad schreibt, die Kunst sei Äußerung eines einzelnen . . .

XI. Jedes Ding hat zwei Seiten

Wählen Sie sich einen Partner. Sie gehen von den Argumenten auf der linken Seite aus, Ihr Partner von denen auf der rechten. Bevor Sie anfangen, lesen Sie bitte erst die Wendungen in der Mitte.

Thema: „Die Kunst hat heute jede Bedeutung verloren"

Echte Kunst ist tot: abstrakte Gemälde, Zwölftonmusik: häßlich, unverständlich	Ich glaube in der Tat, daß . . . Denken Sie doch nur an . . .	Lernen, moderne Kunst zu verstehen; tiefere Aussage verborgen, aber vorhanden
Vorzug genauer, direkter Aussagen	Ich meine, subjektive Werturteile führen uns nicht weiter.	Was ist die genaue, direkte Antwort auf Probleme unserer Zeit?
Kunst nur für wenige	Ich möchte statt dessen auf eine Frage hinweisen, die ich für das Zentralproblem halte.	Durch richtige Erziehung Kunst für alle
Kunst, Literatur nur Geschäft, Profit, Konsum	Da habe ich so meine Zweifel.	Teilweise. Aber auch: Hilfe zur Selbsterkenntnis und Gesellschaftserkenntnis
Kunst verdirbt, realitätsfern, sentimental, verlogen	Andererseits ist es, glaube ich, unbestreitbar, daß . . .	Nur bei wenigen Künstlern und Werken richtig
Künstler schaffen nur, um zu verkaufen	Darauf möchte ich ganz einfach mit einer Frage antworten . . .	Jahrelang verkannte Künstler. Künstler müssen auch leben.

XII. Rollenspiel

Ein Künstler diskutiert mit ein paar Politikern. Er sagt, wie wichtig Künstler seien und daß alle Künstler vom Staat gefördert werden müssen. Die Politiker halten die Künstler nicht für so wichtig. Sie sagen, daß andere Leute eher Hilfe verdienen, daß staatliche Hilfe dem Künstler seine Unabhängigkeit nehme und daß Hilfe nur dann vielleicht möglich sei, wenn es sich um einen guten Künstler handele. Spielen Sie diese Situation.

XIII. Interview

Wählen Sie sich einen Partner und interviewen Sie ihn. Wenn alle Fragen beantwortet sind, tauschen Sie die Rollen.

1. a) Für welche Kunst (Literatur, Musik, bildende Kunst, Theater) interessieren Sie sich?
   b) Haben Sie Lieblingskünstler, ziehen Sie bestimmte Epochen der Kunst vor? Wen, welche? Warum?
   c) Wieviel Zeit verbringen Sie bei der Beschäftigung mit Kunst, wieviel geben Sie für Kunst aus?

2. Beschreiben Sie einen Film (ein Buch, ein Bild), den (das) Sie gesehen (gelesen) haben.
   a) Inhalt?
   b) Was hat Ihnen gefallen?
   c) Welche Bedeutung könnte dies Kunstwerk für andere Menschen unserer Zeit haben?

3. Wie kann die Kunst gefördert werden?
   a) in Schulen
   b) in Fabriken
   c) in Universitäten?

4. Welche Vor- und Nachteile hat es, wenn der Staat die Künstler fördert?

5. Welche Aufgaben hat ein Künstler?

6. Sollte ein Künstler sich außerhalb seines Werkes politisch engagieren? Warum, warum nicht?

7. Kennen Sie solche Künstler? Wen? Wofür und wie engagiert er sich?

8. Sollten Künstler Sonderrechte haben? (Steuerfreiheit? Redefreiheit in jeder Situation? Moralisches Verhalten?)

9. Würden Sie die Arbeit und Aufgaben von Museen unterstützen? Wie, warum? (Eintrittspreise, Broschüren, Ansichtskarten, Dias; Historisches Interesse, Vergleich mit der Gegenwart)

10. Welche Kunst halten Sie für die einflußreichste, welche für die populärste? Warum? Beispiele.

XIV. Diskussion

Ernennen Sie einen Protokollanten, der in Stichworten den Verlauf Ihrer Diskussion festhält und am Schluß die Diskussion mündlich zusammenfaßt.

Diskutieren Sie folgende Aussage: „Im Zeitalter von Funk und Fernsehen hat das Theater seine Bedeutung weithin eingebüßt."

Anregungen:

Vorteile von Funk und Fernsehen:
1. Bequemlichkeit der Teilnahme
2. Kostenersparnis
3. Größerer Wirkungsbereich
4. Dramen und Romane in Funk und Fernsehen
5. Guter Fernsehfilm, gutes Hörspiel
6. Spitzenkräfte

Nachteile:
1. Zweidimensionales Sehen
2. Tonwiedergabe im Fernsehen
3. Verlust des unmittelbaren Kontakts
4. Keine festliche Atmosphäre
5. Konzentration, Sammlung geht leicht verloren.

XV. Persönliche Stellungnahme

Die Kunst, der Beruf, die Familie, die Religion – welcher der vier Bereiche bedeutet Ihnen am meisten? Warum? Wie würde sich die Rangfolge verändern, wenn Sie völlig unabhängig wären?

Schuld und Sühne

A. Du sollst nicht töten!

Artikel 102 des Grundgesetzes lautet: „Die Todesstrafe ist abgeschafft." Doch die Bundesrepublik hat nur auf das Köpfen oder Hängen verzichtet. Sie vollstreckt weiterhin den Tod auf Lebenszeit, den man die lebenslange Freiheitsstrafe nennt.

Nun hat Gerhard Jahn, der Bundesminister der Justiz, gesagt, es könne und dürfe nicht das Ziel des Strafvollzugs sein, „den Menschen letztlich vernichten zu wollen". Gerhard Jahn ist für eine faire Diskussion darüber eingetreten, ob nicht Menschen, die zu lebenslanger Freiheitsstrafe verurteilt wurden, nach 15 Jahren Haft die Chance haben sollten, entlassen zu werden. Jahn respektiert dabei auch das Sicherheitsbedürfnis der Öffentlichkeit. Es müsse – gegebenenfalls – selbstverständlich sichergestellt sein, daß ein zu lebenslanger Freiheitsstrafe Verurteilter nach seiner Entlassung nicht rückfällig werde.

Nach spätestens 15 Jahren ist der zu lebenslanger Freiheitsstrafe Verurteilte zu keiner Empfindung mehr fähig. Er kann auf keine Weise wiedergutmachen. Er kann nicht mehr bereuen. Nach spätestens 15 Jahren findet nur noch die Vernichtung eines Menschen statt, der nichts, aber auch gar nichts mehr mit dem Menschen zu tun hat, der 15 Jahre zuvor verurteilt wurde. Das sagen nicht sentimentale Beschwichtiger, Narren der Humanität oder Trottel, die nach dem Metzger für sich selber suchen. Das sagen Wissenschaftler, das sagen die Praktiker des Strafvollzugs. Das haben auch, schon 1970, die katholischen Strafanstaltsgeistlichen der Bundesrepublik gesagt.

Man mag darüber streiten, in welchem Ausmaß die Umwelt an einer Straftat beteiligt ist, die in ihrer Mitte begangen wurde; wieweit Schäden, die Erziehung und Ausbildung anrichteten, wieweit die sozialen Verhältnisse mitschuldig an einer persönlichen Schuld sind. Doch so unschuldig ist keine Gesellschaft, so isoliert geschieht keine Straftat, daß es gerechtfertigt wäre, den Straftäter „letztlich vernichten zu wollen".

Auch wer die Höchststrafe erhalten muß, darf nicht der letzten Hoffnung beraubt werden: der Hoffnung, die Freiheit wiederzuerlangen, falls er kein Sicherheitsrisiko mehr darstellt. Er braucht die Zusage, daß seine Strafe – etwa vom zehnten Jahr an – alljährlich überprüft werden wird. Die lebenslange Freiheitsstrafe muß reformiert werden.

(Nach: Gerhard Mauz, *Eine Welle des Hasses*. Der Spiegel 13/73.)

I. Wörter und Wendungen

das Grundgesetz	Verfassung der Bundesrepublik Deutschland	bereuen	Reue empfinden; bedauern; wünschen, daß etwas ungeschehen wäre
das Köpfen	töten, indem man den Kopf abschlägt	der Beschwichtiger, -	jd., der besänftigt; jd., der sagt, es sei alles nicht so schlimm
das Hängen	töten durch Aufhängen		
vollstrecken	(in amtlichem Auftrag) vollziehen, durchführen	der Narr, -en	komischer, einfältiger Mensch
		die Humanität	Menschlichkeit; menschenfreundliches Fühlen und Denken
der Strafvollzug	alles, was zur Durchführung, zur Verwirklichung der Strafe gehört	der Trottel, -	Dummkopf, Schwachkopf, einfältiger Mensch
die Haft	Freiheitsentzug, Gefangensein		
		Schaden anrichten	Schaden verursachen
respektieren	achten, anerkennen (jdn. r.; ein Gesetz, eine Meinung r.)	jdn. einer Sache berauben	jdm. eine Sache rauben; jdm. etwas wegnehmen
rückfällig werden	noch einmal ein (gleiches) Verbrechen begehen	die Zusage, -n	Versprechen, Zusicherung

II. Falsch oder richtig?

1. *lauten* (Zeile 1) bedeutet
   - a) laut ertönen
   - b) gut klingen
   - c) heißen

2. *eintreten für etw.* (Zeile 6) bedeutet
   - a) sich einsetzen für
   - b) sich Gedanken machen über
   - c) eingehen auf

3. *gegebenenfalls* (Zeile 9) bedeutet
   - a) bestenfalls
   - b) allenfalls
   - c) wenn der betreffende Fall eintritt

4. *wiedergutmachen* (Zeile 13) bedeutet
   a) ein zweites Mal gut machen
   b) gutmachen (Schaden, Böses), ersetzen (Verlust)
   c) verbessern

5. *eine Straftat begehen* (Zeile 21/22) bedeutet
   a) eine Straftat verüben, tun
   b) eine Straftat verschweigen
   c) eine Straftat verfolgen

6. *rechtfertigen* (Zeile 25) bedeutet
   a) für gerecht und richtig erklären
   b) richtig machen
   c) die Erlaubnis geben

7. *alljährlich* (Zeile 30) bedeutet
   a) ein Jahr lang
   b) jedes Jahr wieder
   c) jahrelang

III. Finden Sie für folgende Sätze oder Satzteile Entsprechungen im Text:

1. Die Todesstrafe gibt es nicht mehr.
2. Aufgabe des Strafvollzugs kann es nicht sein, die Gefangenen schließlich völlig zerstören zu wollen.
3. Menschen, die dazu bestraft werden, den Rest ihres Lebens im Gefängnis zu verbringen.
4. Er hat auch das Verlangen der Menschen, sicher vor Verbrechern zu sein, beachtet.
5. Nach mehr als einem Jahrzehnt im Gefängnis fühlt der Gefangene nichts mehr.
6. Das behaupten nicht irgendwelche Dummköpfe, die nach jemandem suchen, der ihnen großen Schaden zufügt (der sie vielleicht sogar tötet).
7. Keine Straftat geschieht völlig abgesondert und unabhängig von der Umwelt.
8. Der Mensch braucht die Hoffnung, die Freiheit wiederzubekommen.

IV. Bitte erklären Sie.

1. Was ist ein *Artikel* eines Gesetzes?
2. Was bedeutet *jemanden aus dem Gefängnis entlassen*?
3. Welche anderen *Bedürfnisse*, außer dem Streben nach Sicherheit, hat der Mensch?
4. Was heißt, etwas muß *sichergestellt* sein?
5. Was heißt *sentimental*?
6. Welche Aufgaben haben *Praktiker des Strafvollzugs*?
7. Was ist ein *Strafanstaltsgeistlicher*?

8. Was gehört alles zu den *sozialen Verhältnissen*, in denen ein Mensch aufwächst und lebt?
9. Was bedeutet, ein Mensch ist kein *Sicherheitsrisiko* mehr?

V. Vervollständigen Sie die Sätze mit Ihren eigenen Worten.

1. Gerhard Jahn ist für eine faire Diskussion darüber eingetreten, ob nicht Menschen, die zu lebenslanger Freiheitsstrafe verurteilt wurden, ...
2. Gerhard Jahn sagt, es müsse sichergestellt sein, daß ein Verurteilter, der vorzeitig entlassen wird, ...
3. Nach 15 Jahren findet nur noch die Vernichtung eines Menschen statt, der ...
4. Man mag darüber streiten, in welchem Ausmaß die Umwelt ...
5. ..., falls er kein Sicherheitsrisiko mehr darstellt.

VI. Fragen zum Verständnis

1. Inwiefern kann man sagen, daß es in der BRD doch noch die Todesstrafe gibt?
2. Was darf, nach Gerhard Jahn, nicht das Ziel des Strafvollzugs sein?
3. Welche Gründe nennt der Text dafür, daß es sinnlos ist, einen Menschen länger als 15 Jahre gefangenzuhalten?
4. Welche drei Menschengruppen haben sich dafür eingesetzt, einen Menschen nicht sein ganzes Leben gefangenzuhalten?
5. Wie sieht der Verfasser des Texts den Zusammenhang zwischen Umwelt, Erziehung, sozialen Verhältnissen einerseits und Straftaten andererseits?

VII. Wiedergabeübungen

1. Vervollständigen Sie den Text.

1. Man mag darüber streit..., in welch... Ausmaß d... Umwelt an ein... Straftat beteilig... ist, d... in ihr... Mitte begangen wurde; wieweit d... Schäden, d... Erziehung und Ausbildung anricht..., wieweit d... sozial... Verhältnisse mitschuldig an ein... persönlich... Schuld sind. 2. Doch so unschuldig ist kein... Gesellschaft, so isoliert geschieh... kein... Straftat, d... es gerechtfertig... wäre, d... Straftäter „letztlich vernicht... zu wollen". 3. Auch wer die ... erhalten hat, darf nicht der letzten Hoffnung ... werden: der Hoffnung, die Freiheit ..., falls er kein ... mehr darstellt. 4. Er braucht die ..., daß seine Strafe vom zehnten Jahr an alljährlich ... wird. 5. Die lebenslange Freiheitsstrafe muß ... werden.

2. Geben Sie den Text mit ihren eigenen Worten wieder. Sie können die folgenden Satzstücke als Hilfe nehmen.

Artikel 102 des Grundgesetzes .../ Doch die BRD .../ Jahn: Es kann nicht Ziel des Strafvollzugs .../ Diskussion darüber, ob Verurteilte nach 15 Jahren Haft ... / Sicherheitsbedürfnis der Öffentlichkeit / Nach spätestens 15 Jahren nur die Vernichtung eines Menschen, der .../ Das sagen nicht .../ Das sagen .../ Man mag darüber streiten .../ Doch so unschuldig ist keine Gesellschaft .../ Auch wer die Höchststrafe erhalten hat, darf nicht .../ Er braucht die Zusage, daß ...

VIII. Fragen zur Weiterführung des Themas

1. Jahn sagt nicht, was das Ziel des Strafvollzugs ist. Was ist Ihrer Meinung nach das Ziel des Strafvollzugs?
2. Wer kann Ihrer Meinung nach feststellen, ob ein Gefangener kein Sicherheitsrisiko mehr darstellt?
3. Wie sehen Sie das Verhältnis von Umwelt, Erziehung, sozialen Verhältnissen und Straftaten bzw. Straftätern?
4. Was halten Sie von der Reformierung der lebenslangen Freiheitsstrafe?

B. Auszug aus der bundesdeutschen Kriminalstatistik

Im Jahre 1975 kam es in der Bundesrepublik Deutschland zu 50 254 polizeilich registrierten gefährlichen und schweren Körperverletzungen. Das sind täglich 138 oder stündlich sechs solcher Taten mit zum Teil erheblichen körperlichen Schädigungen und oft langfristigen Krankenhausaufenthalten.

Seit dem Jahre 1973 haben diese Delikte um 22,3 Prozent und dabei der Schußwaffengebrauch um 43,7 Prozent zugenommen. Allein im Jahre 1975 wurden 2434 Menschen bei solchen Angriffen durch Schußwaffen verletzt.

Die Statistik weist aus, daß es gerade junge Menschen sind, die mit immer mehr Gewalt vorgehen: rund 60% aller Tatverdächtigen sind unter 30 Jahre alt.

Unverhältnismäßig hoch ist bei gefährlicher und schwerer Körperverletzung der Anteil der Ausländer an allen ermittelten Tatverdächtigen; er lag 1973 bei 19,7%, 1974 bei 20,0% und 1975 bei 18,8%. Dagegen haben die Ausländer bei der Gesamtkriminalität durchschnittlich nur 12,5% aller Tatverdächtigen gestellt.

Die meisten von den Opfern, nämlich 72%, waren zwischen 21 und 60 Jahre alt. Die größten Opfer-Zuwachsraten weisen in diesem Dreijahreszeitraum Mädchen im Alter von 14–18 Jahren aus: 71,4%; aber auch die Zuwachsraten der Mädchen von 6–14 Jahren (52,9%) und der Frauen im Alter von über 60 Jahren (36,8%) stimmen nachdenklich.

(Hessisches Landeskriminalamt. Nach: *Blitz-Tip,* 14. 10. 1976)

I. Wörter und Wendungen

registrieren	(in ein Register) eintragen; aufzeichnen; feststellen	die Statistik weist aus	die Statistik zeigt, belegt
erheblich	beträchtlich; schwer, stark, groß (ein e. Fortschritt, Nachteil, Schaden; e. besser, verletzt, beeinflußt werden)	mit Gewalt vorgehen	gewaltsam handeln
		der Anteil, -e	der (prozentuale) Teil
		die Ausländer stellen viele Tatverdächtige	die Ausländer sind häufig tatverdächtig
langfristig	lange dauernd	das Opfer, -	jd., der durch etwas Schaden erleidet
das Delikt, -e	Vergehen, Straftat		
ermitteln	durch Nachforschen feststellen; durch Suchen herausbekommen	die Zuwachsrate, -n	Prozentsatz, um den sich etwas vergrößert
		nachdenklich stimmen	nachdenklich machen, zum Nachdenken bringen
der Tatverdächtige, -n	der vermutlich Schuldige		

II. Fragen zum Verständnis

1. Von welchem Delikt ist in dem Auszug aus der Kriminalstatistik die Rede?
2. Was stellt man fest, wenn man die Zahl dieser Delikte im Jahr 1975 mit der Zahl im Jahre 1973 vergleicht?
3. Was registriert die Statistik hinsichtlich der Schußwaffen?
4. Was sagt die Statistik über den Anteil junger Menschen an den Tatverdächtigen aus?
5. Wie steht es mit dem Anteil der tatverdächtigen Ausländer?
6. Was sagt die Statistik darüber aus, ob die Ausländer an allen Delikten gleichmäßig beteiligt sind?
7. Was erfährt man aus der Statistik über das Alter der Opfer?
8. In welcher Bevölkerungsgruppe hat die Zahl der Opfer am meisten zugenommen?

III. Wiedergabeübungen

1. Finden Sie für jeden Abschnitt des Auszugs eine Überschrift.
2. Fassen Sie die wesentlichen Angaben der Statistik zusammen. (Sie können die Übung „Fragen zum Verständnis" als Leitfaden benutzen.)

IV. Fragen zur Weiterführung des Themas

1. Warum nehmen Ihrer Ansicht nach schwere Körperverletzungen zu?
2. Warum ist Ihrer Meinung nach die Zahl junger Menschen bei diesem Delikt relativ hoch? (Bei welchen Delikten wird der Anteil junger Menschen relativ gering sein?)
3. Warum ist Ihrer Meinung nach der Anteil der Ausländer an diesem Delikt verhältnismäßig groß?
4. Sagt die Statistik etwas über eine allgemeine Zunahme von Verbrechen aus? Wenn ja, was?
5. Kann man aus der Statistik selbst schließen, ob junge Menschen und Ausländer besonders häufig Verbrechen begehen? Wenn ja, woraus?
6. Finden Sie die Zuwachsraten der Opfer bei Mädchen, kleinen Mädchen und älteren Frauen bedenklich? Warum, warum nicht?
7. Sollten Statistiken dieser Art häufig in der Presse, im Rundfunk und Fernsehen veröffentlicht werden? Warum, warum nicht?
8. Sollten die Polizisten häufiger von der Schußwaffe Gebrauch machen, weil auch die Verbrecher immer öfter Schußwaffen benutzen?

Spruchweisheiten

Die heimlichen Diebe sind auf den Galeeren und die öffentlichen Diebe in Palästen. (Frankreich)

Die Räuber von Geld werden hingerichtet, die Räuber von Ländern zu Königen gemacht. (Japan)

Kleine Diebe hängt man, vor großen zieht man den Hut. (Deutschland)

Die bloße Mahnung an die Richter, nach bestem Wissen und Gewissen zu urteilen, genügt nicht. Es müßten auch Vorschriften erlassen werden, wie klein das Wissen und wie groß das Gewissen sein darf. (Karl Kraus)

C. Bericht des Peter A. Borchert

I. Wörter und Wendungen

human	menschlich, menschenfreundlich	heimtückisch	hinterhältig, gefährlich (Sie hatte den h. Plan, ihn mit einer vergifteten Mahlzeit zu töten.)

scheitern	Schiffbruch erleiden, versagen
das Fatale	das Verhängnisvolle, das sehr Unangenehme
einem Verlagsauftrag nachkommen	den Auftrag eines Verlags ausführen
das Manuskript, -e	hand- oder maschinengeschriebene Arbeit, die beim Drucken als Vorlage benutzt wird
die Resozialisierungschance, -n	Chance, Aussicht, wieder ein akzeptiertes Mitglied der Gesellschaft zu werden

die Asozialisierungsmaschinerie, -n	hier: Einrichtung, die den Menschen unfähig macht, sich in der Gesellschaft richtig zu verhalten
die Arbeit als sinnvollen Teil des Lebens an jdn. herantragen	jdm. deutlich machen und ihn erleben lassen, daß Arbeit und Leben untrennbar zusammengehören
stupid	stumpfsinnig, dumm
die Assoziation, -en	Vorstellung, Gedankenverbindungen (Dies Lied weckt in mir A. an meine Heimat.)
die Unlust	Unbehagen, Abneigung, Widerwillen

II. Beantworten Sie folgende Fragen:

1. Wo befindet sich Peter A. Borchert?
2. Borchert nennt eine Reihe von Dingen, mit denen er zufrieden ist. An welche erinnern Sie sich?
3. Worum kämpfte Borchert in Süddeutschland?
4. Was wollte Borchert machen, um seine Schulden bezahlen zu können?
5. Erhielt er die Erlaubnis dazu?
6. Borchert erwähnt Dinge, die ein Häftling im Gefängnis verlernt. An welche erinnern Sie sich?

III. Textklärung

1. Was bedeutet, etwas scheint *auf den ersten Blick* human?
2. Was heißt, jemand wird nicht *mißhandelt*?
3. Nennen Sie ein paar *Verhaltensnormen,* nach denen die Menschen leben.
4. Was heißt *für begrenzte Zeit*?
5. Was bedeutet, das soziale Verhalten *bedarf einer Korrektur*?
6. Nennen Sie andere Wörter für *total*.

7. Wie heißt das Gegenteil von *vergebens*?
8. Nennen Sie andere Wörter für *perfekt*.
9. Was tut man, wenn man eine *Schwierigkeit angeht*?
10. Was bedeutet, die Arbeit erscheint ihm *widerwärtig*?
11. Was heißt *Pfennigentlöhnung pro Tag*?

IV. Was sagt Peter A. Borchert wirklich? Verbessern Sie die folgenden Sätze:

1. Die Beamten, die „Du" zu mir sagen, verbieten das Rauchen.
2. Wenn ich mich schlecht behandelt fühle, darf ich mich nicht beschweren.
3. Ich soll etwas lernen; aber das geht in meinem Palast nicht.
4. In Süddeutschland lehnte ich die Genehmigung ab, Schreibpapier zu kaufen.
5. Ich sagte, ich würde durch die Kurzgeschichten meine Schulden vergrößern.
6. Durch diese Arbeit wäre es mir möglich, mich der Pflicht zu entziehen, für den Unterhalt meiner Familie zu sorgen.
7. Alles, was draußen in der richtigen Welt zum Erfolg führt, wird hier vertieft und vervollständigt.
8. Der Häftling verlernt es, Versuchungen nachzugeben, sie zu genießen und auszunutzen.

V. Bitte vervollständigen Sie sinngemäß.

1. Wenn mir etwas weh tut, kann ich . . .
2. Trotz allem ist diese Welt weniger human, als . . .
3. Das Gefängnis erzieht mich zu genau den Verhaltensnormen, die . . .
4. Der Richter sagte, . . .
5. Hier kann ich keine Spielregeln für das Leben draußen lernen, denn hier . . .
6. Ich brauche das Geld für die Zeit nach der Entlassung, um . . .
7. Mein Antrag auf Schreibpapier wurde mit der Begründung abgelehnt: . . .
8. Die Arbeit im Gefängnis erscheint dem Inhaftierten . . .

VI. Fragen zum Verständnis

1. Wie sieht nach Borchert das Leben im Gefängnis oberflächlich gesehen aus?
2. Was ist nach Borchert das „Heimtückische", „Fatale" eines Gefängnisaufenthaltes?
3. Welchen Versuch hat Borchert gemacht, um dem Gefängnisaufenthalt einen Sinn zu geben?
4. Mit welchen Gründen hat er seinen Versuch gerechtfertigt?
5. Was verlernt und verliert der Gefangene nach Borchert?

6. Welche Einstellung hat der Gefangene nach Borchert zu der üblichen Gefängnisarbeit?
7. Welche Folge hat das für die Zukunft?

VII. Sprechen Sie „Peter A. Borchert" nach. ൦ഠ

VIII. Wiedergabeübung

Vervollständigen Sie den Text.

1. Dies... Welt schein... auf d... erst... Blick human ... sein. 2. Ich werd...
nicht mißhandel... 3. D... Beamt... sagen „Sie" zu m..., d... gemütlicher...
„Du", d... sind die, d... auch mal Feuer geb... 4. Einig... wenig... sag...
„Er" – aber wo gib... es solch... Leute nicht. 5. D... Essen reich... aus, um
d... Gewicht... erhalten. 6. Wenn m... etwas weh..., kann ich m... vom Arzt
untersuch... lassen. 7. Pro Woche gibt ... drei Bücher. 8. In manch... Gefängnissen ... ich sogar schreib... 9. Fühl... ich m... schlecht behandel..., steht
m... d... Beschwerdeweg... 10. Trotz all... ist dies... Welt wenig... human,
als ... scheint, denn ... erzieh... m... auf heimtückisch... Weise ... genau d...
Verhaltensnormen, d... m... überhaupt erst hierhergebracht haben. 11. Mir sind
– für begrenzte ... – fünfzehn Quadratmeter gesicherter ... zugewiesen worden,
... ich draußen, ... der richtigen Welt, ... bin. 12. Weil mein soziales ... einer
Korrektur ..., sagte der ..., weil ich ... müßte, die Spielregeln der ... zu beachten.
13. Aber das – und das ist das ... – geht in meinem Käfig nicht. 14. Wie ... ich
hier soziales ... lernen. 15. Hier ... ich keine Spielregeln lernen, hier wird mein
ganzes ... total ...

IX. Transkript

Bitte hören Sie sich den Bericht von Peter A. Borchert noch einmal an. Nach jedem Satz oder nach einem Teil des Satzes schreiben Sie auf, was Sie gehört haben.

X. „müssen? müßte? sollte?"

1. Eine Untersuchungskommission hat sich mit der Situation der Gefangenen beschäftigt und liefert einen Bericht ab. Darin stellt sie u. a. auch Forderungen auf, verlangt bestimmte Dinge, die sie für notwendig hält. Füllen Sie die Lücken in dem Bericht aus.

Die Zimmer ... groß genug sein. Sie ... genügend Möbel und ausreichende Waschgelegenheiten haben. Sie ... hell genug sein, und sie ... auch mit solchen Dingen ausgestattet werden, die dem Gefangenen gefallen.

Der Gefangene . . . mit sinnvoller Arbeit beschäftigt und er . . . gerecht bezahlt werden. Er . . . die Möglichkeit zur Aus- und Weiterbildung haben.

Die Leute draußen . . . den Gefangenen Briefe schreiben und sie besuchen. Sie . . . ihnen Ratschläge geben, z. B. zur Freizeitgestaltung. Sie . . . ihnen helfen, wenn sie aus dem Gefängnis entlassen werden, z. B. bei der Suche nach einem Arbeitsplatz. Man . . . den Gefangenen erlauben, in bestimmten Abständen ihre Familien zu besuchen, damit sie den Kontakt mit der Wirklichkeit nicht verlieren und sich später besser in der Freiheit zurechtfinden.

2. Stellen Sie sich jetzt vor, daß die Kommission in ihrem Bericht keine Forderungen aufstellt, sondern lediglich bestimmte Dinge empfiehlt und sagt, wie der Strafvollzug besser und menschlicher wäre. Füllen Sie die Lücken in dem Bericht entsprechend aus.

D. Kontakt gesucht

I. Wörter und Wendungen

pauschal	alles zusammen genommen; hier: mit einer einzigen Antwort, die für jeden Fall zutrifft	naßforsch	nur scheinbar forsch, nur scheinbar tapfer/ wagemutig
auch mit Kind angenehm oder geschieden	(typ. Wendung in Kontaktanzeigen) auch ein Partner, der ein Kind hat oder geschieden ist, ist erwünscht	kess	dreist, vorlaut, flott und ein bißchen frech
		verarbeiten	(Eindrücke, Erlebnisse, Gefühle) überdenken und geistig bewältigen
bemerkenswert	beachtlich; so beschaffen, daß es Aufmerksamkeit erregt, verdient	der Komplex, -e	(psych.) Vorstellungen, Ideen, Erlebnisse, mit denen der Mensch nicht fertig wird, die ihn dauernd beunruhigen
Dracula	grausamer, transsylvanischer (rumänischer) Graf, von dem das Volk glaubte, daß er sich nach seinem Tod wie ein Vampir vom Blut seiner Opfer ernährte	in der Tat	tatsächlich, wirklich
		mehr als deutlich	ganz eindeutig, ganz klar
		der Zuschuß, ⁼sse	finanzieller Beitrag, der einen Teil der Kosten deckt

II. Beantworten Sie folgende Fragen:

1. Wer unterhält sich in dem Gespräch und worüber wird gesprochen?
2. Wie viele Beispiele gibt der eine Gesprächspartner?
3. An welche Einzelheiten der Beispiele erinnern Sie sich?
4. Welcher Rat wird Leuten gegeben, die Gefangenen helfen wollen?

III. Textklärung

1. Womit *beschäftigt sich* ein Briefmarkensammler, ein Atomphysiker, ein Geschichtsbuch?
2. Alkoholiker, Drogensüchtige und Raucher machen *Entziehungskuren*. Was wollen sie damit erreichen?
3. Was heißt, jemand *bevorzugt* Rotwein?
4. Nennen Sie ein anderes Wort für *der Inhaftierte*.
5. In einer Kontaktanzeige steht: *Welcher Briefpartner ,egal ob Sie oder Er' schreibt mir?* Was will der Kontaktsuchende damit ausdrücken?
6. Nennen Sie ein anderes Wort für *sich engagieren*, oder beschreiben Sie, was man macht, wenn man sich *für etwas oder für jemanden engagiert*.
7. Nennen Sie ein anderes Wort für *betreuen*, oder geben Sie Beispiele, wo jemand einen anderen *betreut*.

IV. Was sagen die Gesprächsteilnehmer wirklich? Verbessern Sie folgende Sätze:

1. Herr Behrens, Sie haben sich längere Zeit mit den Bildern und Witzen in Gefangenenzeitungen beschäftigt.
2. Herr Wießner, Ihre Frage läßt sich ganz einfach beantworten.
3. Hier versucht ein Gefangener bewußt naßforsch, seine Zukunft zu planen.
4. Welcher Briefpartner, egal ob Sie oder Er, möchte an meiner Lebensfreude teilhaben?
5. Der Verein gibt dem Helfer in jedem einzelnen Fall finanzielle Zuschüsse.

V. Bitte vervollständigen Sie sinngemäß.

1. Bemerkenswert ist hier, daß der Strafgefangene betont . . .
2. Draculas Enkel sucht nach langer . . .
3. Gibt es viele Strafgefangene, die ihre Isolierung und ihre Schuldgefühle auf eine solche . . .
4. Ich würde jedem, der sich für Gefangene engagieren will, raten . . .
5. Der Verein betreut Strafgefangene und berät alle, die . . .

VI. Sprechen Sie nach, was die Gesprächsteilnehmer sagen. ⌀

VII. Wiedergabeübung

Fassen Sie das Gespräch mit Ihren eigenen Worten zusammen. Dabei sollten Sie folgende Punkte berücksichtigen:

Gesprächsteilnehmer und Gesprächsgegenstand / Die drei Beispiele und was an ihnen typisch ist / Der Rat für Leute, die sich für Gefangene einsetzen wollen / Die Tätigkeit des Vereins „Aktion Notwende e. V."

VIII. Transkript

Bitte hören Sie sich das Gespräch noch einmal an. Nach jedem Satz oder nach einem Teil des Satzes schreiben Sie auf, was Sie gehört haben.

IX. Fragen zur Weiterführung des Themas

1. Warum legt der Gefangene der ersten Kontaktanzeige nach Ihrer Meinung Wert auf ein „mutiges" Mädchen?
2. Der zweite Inhaftierte versucht nach Herrn Behrens, mit seiner Vergangenheit fertig zu werden. Was verrät Ihrer Meinung nach die Anzeige über diese Vergangenheit?
3. Die zweite Anzeige ist sprachlich auffällig: „Draculas Enkel, Entziehungskur, Blutgruppe 0 bevorzugt". Wie würden Sie das beschreiben, was der Gefangene mit der Sprache macht? Warum drückt er sich nicht „normal" aus?
4. Mit welchen Schwierigkeiten muß man bei der Hilfe für Strafgefangene rechnen? (Denken Sie an den Helfer, den Inhaftierten, die Bestimmungen des Strafvollzugs und die Welt außerhalb des Gefängnisses.)

X. Jedes Ding hat zwei Seiten

Wählen Sie sich einen Partner. Sie gehen von den Argumenten auf der linken Seite aus, Ihr Partner von denen auf der rechten. Bevor Sie anfangen, lesen Sie bitte erst die Wendungen in der Mitte.

Thema: „Sollte man ab und zu mal im Warenhaus klauen?"

ein Abenteuer, ein Sport	Ich persönlich meine ... Man kann diesen Aspekt nicht völlig leugnen, aber ...	Gefährliches Abenteuer, Strafen, kleiner Dieb wird schnell großer Verbrecher

Verführung durch Werbung	Dieser Schluß scheint mir voreilig. Das glaube ich nicht.	Mildernder Umstand, keine wirkliche Entschuldigung
Kein Geld zum Kauf	Die beiden Dinge haben nichts miteinander zu tun.	Mundraub ja; die meisten Warenhausdiebe haben Geld; unmoralisch in jedem Fall
Warenhausbesitzer beuten aus, Klauen gerechte Strafe	Auch ein anderer Gesichtspunkt muß in diesem Zusammenhang berücksichtigt werden. Entschuldigen Sie, wenn ich Sie hier einfach unterbreche, aber . . .	Gerade Warenhäuser eine günstige Einkaufsmöglichkeit für ärmere Leute; nur durch Gesetze, nicht durch Klauen wirkliche Änderung der Verhältnisse
Preise so kalkuliert, daß Diebstahl berücksichtigt, also Warenhaus keinen Schaden	Bitte lassen Sie mich ausreden, Sie können Ihre Meinung nachher noch sagen.	Jeder einzelne Kunde geschädigt wegen unnötig hoher Preise

XI. Rollenspiel

Spielen Sie eine Gerichtsverhandlung. Sie brauchen einen Angeklagten (z. B. einen mutmaßlichen Einbrecher, Mörder, Erpresser, Flugzeugentführer), einen Rechtsanwalt, der den Angeklagten verteidigt, einen Staatsanwalt, der den Angeklagten wegen eines bestimmten Verbrechens verklagt, und einen Richter, der das Urteil finden muß.

Der Angeklagte wird zunächst zu seiner Person befragt und dann zu der Sache, wegen der er angeklagt ist. (Dann können Zeugen vernommen werden.) Anschließend nimmt der Staatsanwalt Stellung zur Tat des Angeklagten und beantragt danach eine bestimmte Strafe. Darauf antwortet der Verteidiger des Angeklagten. Schließlich kann der Angeklagte noch einmal sprechen, und dann verkündet und begründet der Richter das Urteil.

XII. Interview

Wählen Sie sich einen Partner, und interviewen Sie ihn. Wenn alle Fragen beantwortet sind, tauschen Sie die Rollen.

1. Was wissen Sie über die Gefängnisse Ihres Landes?
2. Wie würden Sie gegebenenfalls das Leben im Gefängnis ändern (Zimmer, Freizeitangebot, Weiterbildung, Arbeit, Urlaub)? Begründen Sie die Änderungen. Falls Sie gegen Änderungen sind, nennen Sie Ihre Gründe.
3. Glauben Sie, daß sich die Gesellschaft gut genug vor Verbrechern schützt? Begründen Sie Ihre Meinung.
4. Denkt man bei der Bestrafung von Verbrechern Ihrer Ansicht nach auch an die Opfer des Verbrechers? Wenn ja, geschieht das in ausreichendem Maß?
5. Warum werden Menschen zu Verbrechern?
6. Was könnte man tun, um die Kriminalität so gering wie möglich zu halten?
7. Sind vor dem Gesetz alle Leute gleich? Geben Sie Gründe und Beispiele von der Theorie her und aus der Praxis.
8. Gibt es Leute, die Sie als politische Verbrecher bestrafen würden? Wenn ja, wen und für welche Straftaten?

XIII. Diskussion

Ernennen Sie einen Protokollanten, der in Stichworten den Verlauf Ihrer Diskussion festhält und am Schluß die Diskussion mündlich zusammenfaßt.

Diskutieren Sie folgende Aussage: „Die Todesstrafe ist als höchstes Strafmaß unentbehrlich."

Anregungen:
Todesstrafe Schutz für mögliche neue Opfer; bei Todesstrafe keine Abnahme von Gewaltverbrechen / Todesstrafe und Justizirrtum; Todesstrafe nie bei Indizien; Wer lügt, kommt nicht an den Galgen / Todesstrafe nur bei ganz schweren Verbrechen; Taxifahrermord schlimmer als Rentnermord? / Du sollst nicht töten! NICHT: Du darfst nur auf richterlichen Befehl töten! / Rache und Bestrafung legitim: Auge um Auge, Zahn um Zahn; Rache inhuman, Resozialisierung.

XIV. Persönliche Stellungnahme

Stellen Sie dar, worin Sie die größten Probleme der Kriminalität (Ursachen von Verbrechen und ihre Bekämpfung) und des Strafvollzugs sehen.

Quellenverzeichnis

Urlaub und Freizeit

Eine Theorie des Tourismus, aus: H. M. Enzensberger, Einzelheiten I, Edition Suhrkamp, Bd. 63, 1969.

Betr.: Urlaub im Marbella (Fiktiver Beschwerdebrief)

Umweltschutz

Alarm im Ruhrgebiet: Fernsehfilm über eine Smog-Katastrophe, aus: „Der Spuk ist vorüber", Inter Nationes, Sonderdienst, 6/73.

Gladiolen oder Arbeitsplätze? (Fiktives Telefoninterview), nach Material von Horst Bieber, „Gladiolen oder Arbeitsplätze", Die Zeit, Nr. 37, 6. 9. 1974.

Massenmedien

Die öffentliche Meinung, aus: „Die öffentliche Meinung", hg. durch das Presse- und Informationsamt der Bundesregierung, Bonn 1971.

Mündige Bürger, wacht auf! (Fiktive Rede in einer öffentlichen Versammlung)

Werbung und Verbraucher

Die Verlockungen der modernen Supermärkte, aus: Rosemarie Mahl: „Marionetten der Selbstbedienung", Frankfurter Rundschau, 11. 8. 1973.

Rundfunkdiskussion: Problematik der Werbung (Fiktive Rundfunkdiskussion)

Entwicklungshilfe

Unterentwickelt – sich entwickelnd – entwickelt?, aus: Hubert Haslauer, Die Dritte Welt und wir, Deutscher Instituts-Verlag, Köln 1974.

Internationale Ignoranz, aus: Gabriele Venzky, „Internationale Ignoranz", Die Zeit, 25. 6. 1976.

Mit eigener Hilfe in die Zukunft, aus: Richard Lassing, „Mit eigener Hilfe in die Zukunft", Scala, 7/1976.

Der häßliche Experte (Fiktives Radio-Interview), nach Material von H. J. Wald, „Der häßliche Entwicklungsexperte", Die Zeit, Nr. 33/1974.

Frauenemanzipation

Mit schwesterlichen Grüßen, aus: Nina Grunenberg, „Mit schwesterlichen Grüßen", Die Zeit, Nr. 14, 29. 3. 1974.

Petra (Drama in 5 Akten) (Fiktive Szene aus einem Familiendrama)

Alte Leute in der Gesellschaft

Sozialmedizinische Aspekte des Alters, aus: M. Schär, „Sozialmedizinische Aspekte des Alters". Alterskrankheiten, hg. G. Schettler, Georg Thieme Verlag, 1966.

Bloß nicht ins Altersheim (Nach einer Anzeige der Gesellschaft Deutsche Altenhilfe GmbH), mehrfach in: Die Zeit.

Welt der Arbeit

Arbeit als Vergnügen und Beruf als Hobby?, aus: Wolfram Engels, Soziale Marktwirtschaft, Seewald Verlag, Stuttgart 1972.

Industriereportagen, aus: Günter Wallraff, Industriereportagen, Bertelsmann Sachbuchverlag Reinhard Mohn, Gütersloh 1970.

Kunst in der heutigen Gesellschaft

Moderne Kunst, aus: K. Conrad, Das vierte Zeitalter und die moderne Kunst, in: Psychiatrie und Gesellschaft, hg. Ehrhardt/Ploog/Stutte, Verlag Hans Huber, Bern/Stuttgart 1958.

Protokoll der Literaturstunde vom 8. 3. 1977 (Fiktives Protokoll einer Deutschstunde)

Schuld und Sühne

Du sollst nicht töten!, aus: Gerhard Mauz, Eine Welle des Hasses. Zur Reform der lebenslangen Freiheitsstrafe, in: Der Spiegel 13/1973.

Auszug aus der bundesdeutschen Kriminalstatistik, aus: „Von Gewalttätern nicht provozieren lassen", Hessisches Landeskriminalamt, in: Blitz-Tip, 14. 10. 1976.

Bericht des Peter A. Borchert, aus: „Bericht des Peter A. Borchert", in: D. Rollmann (Hrsg.), Strafvollzug in Deutschland, Frankfurt/Main, 1967, Fischer TB 841.

Kontakt gesucht, nach Material von Ernst Klee, „Rufe aus dem Knast", Die Zeit, Nr. 49, 26. 11. 1976.

Weitere Materialien zu diesem Kurs:

Lehrerheft

32 Seiten, kart. – Hueber-Nr. 2.1307

Das Lehrerheft gibt Aufschluß über die spezifischen Lernziele dieses Kurses; der schematische Aufbau jeder Lektion wird erläutert, methodische Hinweise werden in knapper, aber eindeutiger Form gegeben (Sozialform des Unterrichts, Wechsel zwischen schriftlicher und mündlicher Arbeit, Hausarbeit, die Reihenfolge der Übungen, der Einstieg in eine Lektion, Zeitaufwand für die Erarbeitung einer Lektion). Zur Orientierung für den Lehrer sind einige Musterarbeiten abgedruckt.

1 Cassette

Laufzeit 35 min., beide Halbspuren bespielt – Hueber-Nr. 4.1307

Sämtliche Hörtexte wurden auf Cassette aufgenommen, zum Teil mit Hintergrundgeräuschen. Der Wortlaut dieser Texte ist nur im Lehrerheft abgedruckt.

Kontrollaufgaben

24 Seiten, geblockt – Hueber-Nr. 3.1307

Zu jeder Lektion wurden Kontrollaufgaben erstellt, die gebrauchsfertig auf einem DIN A 4-Blatt zusammengefaßt sind. Aus Gründen der Ökonomie wurde auf freiere Kontrollformen verzichtet. Die Aufgaben können in ca. 45 Minuten gelöst und rasch und eindeutig bewertet werden.

MAX HUEBER VERLAG ISMANING BEI MÜNCHEN